D0293687

# MON PETIT DOIGT M'A DIT...

## NOTE DE L'ÉDITEUR

*Les volumes de la collection sont imprimés en très grande série.*

*Un incident technique peut se produire en cours de fabrication et il est possible qu'un livre souffre d'une imperfection qui a pu échapper aux services de contrôle.*

*Dans ce cas, il ne faut pas hésiter à nous le renvoyer. Il sera immédiatement échangé.*

*Les frais de port seront remboursés.*

AGATHA CHRISTIE

# MON PETIT DOIGT M'A DIT...

*(BY THE PRICKING OF MY THUMBS)*

TRADUCTION DE CLAIRE DURIVAUX

PARIS
LIBRAIRIE DES CHAMPS-ÉLYSÉES
17, RUE DE MARIGNAN, 17

« By the pricking of my thumbs
Something wicked this way comes ».

*Macbeth* (Act. IV-Sc. I)

# PREMIÈRE PARTIE

# LE COTEAU ENSOLEILLÉ

## TANTE ADA

Mr et Mrs Beresford – un couple d'Anglais moyens, d'âge mûr – prenaient leur petit déjeuner, imitant ainsi à cette heure matinale, des centaines d'autres couples dans toute l'Angleterre. La journée s'annonçait banale, le genre de journée qui vous attend cinq fois sur sept, au long de la semaine. Le gris du ciel laissait prévoir la pluie, bien que rien ne soit jamais certain avec le ciel britannique.

Autrefois, Mr Beresford avait les cheveux roux et cette couleur persistait dans des mèches mêlées à sa tignasse poivre et sel. Sa femme, jadis brune frisée, aimait les fils blancs qui, maintenant lui adoucissaient les traits. Ayant renoncé aux artifices de la teinture, elle avait préféré adopter un nouveau rouge à lèvres, plus gai.

Un couple sympathique, sans histoire, mais sans doute ennuyeux aux yeux d'un représentant de la jeune génération qui déclarerait : « Charmants et terriblement démodés, comme tous nos aînés, d'ailleurs. »

Néanmoins, Mr et Mrs Beresford estimaient n'être pas encore parvenus à l'âge où l'on entre dans cette catégorie. Ils ne se doutaient pas, qu'avec bien d'autres, ils étaient déjà relégués, par la jeunesse actuelle, dans le monde triste et froid des vieillards désœuvrés. Pour leur part, ils voyaient leurs cadets d'un œil indulgent, ne les critiquant pas dans leurs efforts pour surmonter les difficultés multiples que se crée l'adolescence.

En toute sincérité, les Beresford se jugeaient encore à la fleur de l'âge. Ils s'aimaient tendrement et les jours se succédaient aux jours, calmes mais sereins. Il leur arrivait d'avoir des querelles, bien sûr, mais tous les ménages heureux connaissent ces petits incidents!

Mr Beresford ouvrit une lettre qu'il parcourut des yeux avant de l'ajouter à la petite pile posée près de lui. Ayant pris la suivante, il ne la décacheta pas; jouant pensivement avec l'enveloppe, il fixa le grille-pain. Étonnée, sa femme s'enquit :

– Quelque chose qui ne va pas, Tommy?

– Non. Pourquoi?

– Vous aviez l'esprit ailleurs, il me semble?

– Ma foi, je ne songeais à rien de précis.

– Je suis sûre que si! Quelque chose de sérieux?

– Mais non! Que voulez-vous que ce soit? Seulement la facture du plombier.

– Elle vous a causé une désagréable surprise, j'imagine?

– Naturellement.

– Nous aurions dû faire carrière dans la plomberie. J'aurais été votre apprentie et à l'heure qu'il est, nous roulerions sur l'or.

Tommy entra dans le jeu.

– Quel dommage que nous n'ayons pas compris cela plus tôt!

Soupçonneuse, Mrs Beresford insista:

– Est-ce vraiment la facture du plombier que vous lisiez?

– Non, une demande d'argent...

– Pour une œuvre de charité?

– Une nouvelle maison de retraite qui doit ouvrir prochainement.

– Dans ce cas, je ne vois pas ce qui vous tracasse?

Tommy hésita avant d'ajouter :

– Eh bien! cela m'a fait penser à tante Ada.

– Tante Ada...

Leurs regards se croisèrent. Il est malheureusement vrai qu'à l'heure actuelle, presque chaque famille a sa tante Ada, qu'il s'agisse de grand-mères, de vieilles cousines ou de grand-tantes. Elles posent un problème auquel il faut faire face tôt ou tard: leur trouver un foyer où elles finiront leurs jours en toute quiétude, prendre des renseignements auprès de médecins ou d'amis qui ont dû, eux aussi, assurer les vieux jours d'une parente.

Les temps sont révolus où les tantes Ada et leurs contemporaines, pouvaient vivre heureuses, dans leur cadre familier, entourées de servantes dévouées et quelque peu tyranniques. Certaines familles prenaient en charge une parente pauvre, indigente ou simple d'esprit, mais en quête d'un toit.

Aujourd'hui, on est tenu de veiller sur les tantes Ada qui, perclues de rhumatismes ou d'arthrite, peuvent tomber dans leurs escaliers, attraper une bronchite ou se disputer avec les voisins et les commerçants et susciter des scandales.

Ces femmes âgées deviennent un fardeau plus lourd à supporter que les enfants, qui peuvent être placés chez des parents adoptifs ou envoyés en pension, en colonie de vacances, sans beaucoup d'opposition de la part des intéressés. Par contre, la grand-tante de Tuppence Beresford – Primerose – avait été une enquiquineuse notoire. Impossible de la satisfaire. Sitôt installée dans une maison de retraite, minutieusement choisie à son intention, et après avoir écrit quelques lettres élogieuses à sa nièce, elle quittait l'établissement sur un coup de tête.

En l'espace d'un an, la tante Primerose avait « visité » onze maisons, informant finalement sa nièce qu'elle venait de faire la connaissance d'un charmant jeune homme : « Un garçon très dévoué. Il a perdu sa mère en bas âge et a besoin qu'on s'occupe de lui. Je viens de louer un appartement qu'il habitera avec moi, ce qui nous arrange tous les deux, vu nos affinités communes. Ne vous faites plus de souci à mon sujet, chère Tuppence, mon avenir est assuré; demain, j'irai consulter mon notaire afin qu'il subvienne aux besoins de Mervyn au cas où je disparaîtrais la première, ce qui serait normal dans le fond, bien que pour le moment je me sente en pleine forme. »

Tuppence s'était précipitée à Aberdeen où l'affaire se mijotait. Elle y trouva la police embarquant le charmant Mervyn qu'elle recherchait depuis pas mal de temps pour avoir à plusieurs reprises, pratiqué l'escroquerie aux dépens de dames âgées. Tante Primerose fut indignée, criant à l'injustice. Mais après avoir assisté au procès, elle dut changer d'opinion à l'égard de son protégé.

– Je crois que je devrais rendre visite à tante Ada, reprit Tommy. Il y a longtemps que je n'y suis allé.

– Peut-être bien.

– Il y a presque un an que je ne l'ai vue.

– Plus d'un an, à mon avis.

– Mon Dieu ! le temps passe si vite. C'est effrayant comme on oublie. Je me sens très fautif à son égard.

– Pourquoi ? Nous lui écrivons souvent et lui envoyons régulièrement des gâteaux.

– Je reconnais que vous êtes très bonne pour elle, Tuppence. Toutefois, je ne puis m'empêcher de penser à tous ces reportages attristants que l'on publie sur les vieilles personnes.

– Vous faites allusion, j'imagine, à cet horrible livre que vous avez pris à la bibliothèque et qui nous raconte leurs misères.

– L'auteur a dû s'inspirer d'exemples vrais.

– Certainement. Il y a des tas de pauvres gens dans ce cas-là, mais qu'y pouvons-nous, Tommy ?

– Peut-être trouver un bon docteur qui prenne tante Ada en main.

– Sur ce point, le docteur Murray est parfait.

– C'est juste. Je suis sûr que si quelque chose n'allait pas, il nous avertirait immédiatement.

– Il est donc inutile de nous faire du souci. Au fait, quel âge a-t-elle maintenant ?

– Quatre-vingt-deux... ou trois ans. Ce doit être bien triste de survivre à ses proches.

– C'est ce que nous pensons, mais les vieux ne s'en rendent pas compte.

– Comment savoir...?

– Vous souvenez-vous avec quelle étrange satisfaction, votre tante Ada nous a énuméré le nombre de ses amies qu'elle avait vu disparaître? Quant à sa fidèle compagne, Amy Morgan, elle ne lui avait accordé que six mois à vivre et cela sur un ton triomphant.

– N'empêche...

– Je comprends. Vous estimez qu'il est de votre devoir de lui rendre visite.

– Me blâmez-vous?

– Non, pas! Je vous approuve, au contraire et je vous accompagnerai.

– Elle n'est pas votre tante, ne vous croyez donc pas obligée...

– Il s'agit d'une corvée, il est juste que nous la partagions. Je doute d'ailleurs que de son côté, votre tante prenne plaisir à vous voir vous aussi.

– Je préférerais quand même que vous ne veniez pas, Tuppence. Rappelez-vous comme elle s'est montrée grossière à votre égard, lors de notre dernière entrevue?

– Cela ne m'a nullement blessée. Ce fut, probablement, le seul moment de satisfaction que la pauvre vieille chose a tiré de notre rencontre. Je ne lui en veux absolument pas.

– Vous êtes indulgente pour elle, bien que vous ne l'aimiez guère.

– Je ne puis imaginer que quelqu'un l'ait jamais aimée.

– On ne peut s'empêcher d'être touché par la vieillesse.

– Moi, si!

– C’est parce que vous êtes femme que vous vous montrez impitoyable.

– Possible. Après tout, les femmes n’ont pas le temps d’être autre chose que réalistes. Je m’apitoie sur les vieux, les malades, à condition qu’ils soient gentils. Si vous avez un caractère désagréable à vingt ans, qui ne s’améliore pas à quarante ni à soixante et qui empire aux approches du cap des quatre-vingts... je ne vois pas pourquoi j’éprouverais la moindre sympathie pour vous, simplement parce que vous êtes vieux? A la vérité, on ne change pas et je connais d’adorables vieillards pour lesquels je tenterais l’impossible.

– D’accord. Vous êtes très réaliste. Mais vous ferez vraiment un acte de bonté si vous m’accompagnez...

– Je viendrai. N’oubliez pas que je vous ai épousé pour le meilleur et pour le pire et tante Ada fait sûrement partie du pire. Nous lui apporterons des fleurs et des chocolats à la crème ainsi que quelques magazines. Vous pouvez écrire à Miss Chose... pour lui annoncer notre visite.

– Mardi prochain, ça vous conviendrait?

– Parfaitement. Comment s’appelle donc la directrice? Son nom commence par un P, je crois?

– Miss Packard.

– C’est cela.

– Nore voyage sera peut-être moins monotone, cette fois-ci.

– Moins monotone?

– Quelque chose d’intéressant peut nous arriver.

– Il est possible, en effet, que le train déraille à l’aller, suggéra Tuppence.

– Pourquoi diable voulez-vous que le train déraille ?

– Je ne le veux pas. Seulement...

– Eh bien ?

– Eh bien ! ce serait un événement qui sortirait de l'ordinaire. Peut-être pourrions-nous sauver des vies humaines, nous rendre utiles et en même temps, participer à une action passionnante.

– Quelle idée !

– Je sais. C'est de la sottise, mais ce genre de sottise me vient à l'esprit de temps en temps.

II

## ÉTAIT-CE VOTRE PAUVRE ENFANT?

Il est bien difficile de concevoir comment le « Coteau Ensoleillé » avait pris son nom, car rien dans le paysage ne l'expliquait. Le jardin, vaste et plat, convenait évidemment aux pensionnaires âgées. L'établissement, qui datait de l'époque victorienne, présentait un aspect cossu. De grands arbres répandaient, par endroits, une ombre agréable, une vigne vierge dissimulait un mur de la façade et deux pins du Chili donnaient à l'ensemble un aspect exotique. Quelques bancs, disposés çà et là au soleil, une ou deux chaises longues et une verrière tournant le dos au nord-est accentuaient le côté accueillant de cette maison de retraite.

Une jeune servante à l'air épuisé ouvrit aux Beresford et les introduisit dans un petit salon où elle les abandonna après avoir murmuré :

– Je vais prévenir de votre arrivée Miss Packard qui vous attendait justement. Cela ne vous ennuie pas de patienter quelques minutes? Mrs Carraway vient encore d'avaler son dé à coudre, ce qui mobilise tout le personnel.

– Comment diable a-t-elle fait son compte?
– Pour s'amuser, cela lui arrive souvent.

Elle disparut, sous le regard incrédule de Tuppence qui remarqua pensivement :

– Je n'aimerais pas beaucoup avaler un dé à coudre. Un passe-temps plutôt douloureux, ne croyez-vous pas?

Miss Packard arriva bientôt, s'excusant de son retard. C'était une femme grande et forte, aux cheveux cendrés, d'environ cinquante ans, dont l'attitude paisible et ferme avait toujours suscité l'admiration de Tommy.

– Je suis heureuse que vous soyez aussi venue, Mrs Beresford.

– J'ai cru comprendre que quelqu'un avait avalé un dé à coudre?

– Marlène vous a mis au courant, je vois. Mrs Carraway nous réserve toujours ce genre de surprise. Il est très difficile, vous savez, de pouvoir les surveiller toutes en même temps. Un défaut excusable de la part d'un enfant, mais plutôt déroutant chez une vieille personne. C'est devenu une manie chez elle et qui empire chaque année. Ce qui nous console, c'est que cela ne paraît pas affecter sa santé outre mesure.

– Son père était peut-être un avaleur de sabres? suggéra Tuppence.

– Ce serait là une explication plausible. J'ai averti Miss Fanshawe de votre visite. Mr Beresford, mais je ne suis pas sûre qu'elle ait bien compris. Il lui arrive souvent d'avoir l'esprit ailleurs.

– Comment va-t-elle, ces jours-ci?

– Elle perd de plus en plus la mémoire, je le

crains. Lorsque je lui ai annoncé votre visite, hier soir, elle m'a assurée que je devais faire erreur puisque nous étions en plein trimestre scolaire. Apparemment, elle vous croît encore écolier. Ces pauvres femmes, la notion de temps leur échappe souvent. Néanmoins, lorsque je lui ai reparlé de vous ce matin, elle m'a affirmé que vous étiez mort. Ma foi, j'espère tout de même qu'elle vous reconnaîtra.

– Et sa santé ?

– Aussi bonne que l'on puisse souhaiter. Je ne pense cependant pas qu'elle restera encore longtemps parmi nous. Elle ne souffre pas, mais l'état de son cœur nous inquiète. Je préfère que vous soyez prévenus, afin de vous éviter un choc le jour où elle nous quittera.

– Nous lui apportons des fleurs.

– Et une boîte de chocolats.

– Cela lui fera sûrement grand plaisir. Voulez-vous monter à présent ?

Ils la suivirent dans le hall et les escaliers. Alors qu'ils atteignaient le palier, une porte s'ouvrit devant une petite vieille qui criait d'une voix aiguë :

– Je veux mon cacao ! Où êtes-vous, Miss Jane ? Donnez-moi mon cacao !

Une infirmière apparut aussitôt :

– Calmez-vous, Mrs Carraway. Il y a vingt minutes que vous l'avez bu.

– Ce n'est pas vrai ! J'ai encore soif !

– Je vais vous en préparer un autre, si vous voulez ?

– Comment pouvez-vous m'en préparer un autre, si je n'en ai pas encore bu ?

Les visiteurs poursuivirent leur chemin derrière Miss Packard qui, arrivée au fond du couloir, frappa un coup sec contre une porte qu'elle ouvrit en annonçant :

– Miss Fanshawe, je vous amène votre neveu. Cela vous fait plaisir, n'est-ce pas ?

Une vieille femme aux cheveux blancs, le visage ridé, enlaidi par un nez proéminent, se souleva de ses oreillers d'un air menaçant.

Tommy, s'élançant vers elle, s'écria :

– Bonjour, tante Ada, comment allez-vous ?

Ignorant sa présence, l'interpellée s'adressa à la directrice.

– Je vous demande ce qu'il vous prend d'introduire un homme dans ma chambre. Cela n'aurait pas été jugé correct de mon temps ! Et il prétend qu'il est mon neveu, par-dessus le marché ! Qui est-ce ? Le plombier ?... l'électricien ?

– Allons, allons ! Ce n'est pas gentil, Miss Fanshawe.

– Je suis votre neveu, Thomas Beresford. Regardez, je vous ai apporté des chocolats.

– Ne croyez pas m'amadouer de cette façon, jeune homme. Je connais votre genre, allez ! Vous pouvez bien me raconter tout ce qui vous passera par la tête ! – Remarquant brusquement la présence de Tuppence – Qui est cette femme ?

– Tuppence. Votre nièce Tuppence !

– Quel prénom ridicule ! Il irait bien à une femme de chambre. Mon grand-oncle Mathew en avait une qui s'appelait Comfort et sa bonne répondait au nom de Soyez-Heureux-Par-le-Seigneur (1).

(1) Jusqu'au XVII^e siècle, les familles anglaises méthodistes, choisissaient souvent le nom de leurs enfants dans les versets de la Bible.

Une méthodiste. Ma grand-tante a vite mis le holà. Elle lui a déclaré que tant qu'elle habiterait sous son toit, elle serait Rebecca.

– Je vous ai apporté des roses, coupa Tuppence.

– Je n'aime pas les fleurs dans une chambre de malade. Elles absorbent tout l'oxygène.

– Je vais les mettre dans un vase, proposa Miss Packard, sans se démonter.

– Je vous le défends bien et vous devriez savoir que je ne puis supporter qu'on me contrarie.

– Je constate que vous êtes en pleine forme, tante Ada.

– Vous n'espérez pas m'impressionner ! Comment osez-vous vous présenter comme mon neveu ? Quel est votre nom, déjà... Thomas ?

– Thomas ou Tommy.

– Jamais entendu parler de vous ! Le seul neveu que j'aie jamais eu, s'appelait William et il a été tué au cours de la dernière guerre. Une bonne chose d'ailleurs, car s'il avait vécu, il aurait mal tourné. Je suis lasse. – Se renversant sur ses oreillers, elle ordonna à la directrice : – Emmenez-les Miss Packard, vous avez tort de m'imposer la présence d'inconnus.

– J'avais imaginé que leur visite vous remonterait le moral, répondit l'interpellée, imperturbable.

Pour toute réponse, tante Ada ricana.

– Eh bien ! nous partons, annonça gaiement Tuppence. Je laisse les fleurs au cas où vous changeriez d'avis à leur sujet. Venez, Tommy.

– Au revoir, tante Ada. Je regrette que vous m'ayez reçu de cette façon.

Alors que Tommy suivait les deux femmes dans le couloir, la voix de la malade l'arrêta sur le seuil :

– Vous !... revenez. Je vous connais parfaitement. Vous êtes Thomas et je me souviens que vous aviez les cheveux roux. Approchez, que nous puissions causer. Je ne veux pas voir la femme. Elle n'avait pas besoin de se faire passer pour votre épouse, je ne suis pas née d'hier. Vous ne devriez pas amener ce genre de personne ici. Asseyez-vous là et parlez-moi de votre chère maman. Vous, allez-vous-en ! fit-elle en agitant la main vers Tuppence qui hésitait à disparaître.

Mrs Beresford obéit sans broncher et dans l'escalier, la directrice lui confia :

– Elle est d'une humeur massacrante, aujourd'hui. Il lui arrive cependant d'être charmante, bien que cela paraisse impensable.

Tommy, s'étant assis sur la chaise que la vieille dame lui indiquait, protestait doucement que ses souvenirs touchant sa mère étaient très vagues du fait qu'elle dormait au cimetière depuis près de quarante ans. Cette nouvelle ne sembla pas beaucoup affecter tante Ada qui observa :

– Si longtemps que cela ? Mon Dieu ! que le temps passe vite ! Dites-moi, garçon, pourquoi ne vous mariez-vous pas ? Vous devriez trouver une gentille fille, capable de s'occuper de vous. Vous commencez à prendre de l'âge, vous savez ! Cela vous éviterait de vous embarrasser de femmes perdues et de les faire passer pour vos épouses.

– Il va falloir que la prochaine fois, nous vous montrions notre acte de mariage.

– Vous avez donc réussi à la transformer en une honnête femme ?

– Il y a de cela près de trente ans et à l'heure actuelle, notre fils et notre fille sont mariés.

Sans se démonter, sa parente biaisa :

– L'ennui est que personne ne me met au courant de ce qui se passe.

Se souvenant de ces sages paroles de Tuppence : « Si qui que ce soit ayant dépassé la soixantaine, conteste vos propos, ne le contrariez surtout pas... » Tommy s'empressa d'articuler :

– Pardonnez-moi, tante Ada. On a souvent tendance à oublier que le temps s'en va. Tout le monde n'a pas la chance de posséder votre merveilleuse mémoire.

Malgré l'énormité du mensonge, son interlocutrice se rengorgea :

– Vous l'avez bien dit. Excusez-moi si je vous ai tout d'abord mal reçu, mais je n'aime pas qu'on m'en impose. Ils sont tellement négligents ici, ils laissent entrer n'importe qui et si je ne me tenais pas sur mes gardes, quelqu'un pourrait aisément m'assassiner dans mon lit pour me voler.

– Vous vous faites des idées, voyons !

– On ne sait jamais. Avec tout ce qu'on lit dans les journaux... et ce que les gens racontent. Non pas que je croie tout ce qu'on me dit..., mais je me tiens sur mes gardes. Figurez-vous que l'autre jour, ils m'ont amené un type que je n'avais jamais vu et qui se présenta comme étant le docteur Williams remplaçant du docteur Murray, en vacances. Et qu'est-ce qui me prouve qu'il était bien le remplaçant de mon médecin habituel ? Son affirmation, rien de plus !

– Avait-il raison ?

– Ma foi, il se trouve que oui, admit-elle comme à regret. Mais personne ne peut vraiment être certain.

Il est arrivé en voiture, portant la trousse classique qui accompagne les praticiens. Un peu comme la petite boîte magique dont tout le monde parle. De qui s'agissait-il donc... Joanna Southcott (1)?

– Non, je pense que vous faites allusion à autre chose, une prophétie quelconque.

– Ah? En tout cas, mon avis est que n'importe qui peut entrer dans cette maison, se faire passer pour docteur et aussitôt toutes les infirmières se mettent à glousser, minauder, et courir de droite à gauche. Petites dindes! Et si la malade affirme qu'elle ne connaît pas le nouveau venu, ils protestent simplement qu'elle a mauvaise mémoire. Je n'oublie jamais un visage, jamais! A propos, comment va votre tante Caroline? Il y a longtemps que je n'ai pas eu de ses nouvelles. L'avez-vous vue, récemment?

Tommy répliqua, l'air assez gauche, qu'il y avait quinze ans que sa tante Caroline était morte, révélation qui ne troubla guère la malade, son degré de parenté avec la disparue étant des plus ténus.

– On meurt beaucoup, il me semble. Les gens n'ont aucune résistance, ils souffrent du cœur, ont de la tension, de l'arthrite, des bronchites ou autres. C'est d'ailleurs grâce à cela que les médecins font fortune. Les remèdes deviennent de plus en plus à la mode. De mon temps, on se soignait simplement avec du soufre et de la mélasse. Rien qu'en voyant la potion arriver, on se sentait tout de suite guéri. On ne peut pas vraiment faire crédit aux médecins, de nos jours. On m'a laissé entendre qu'il y avait beaucoup de cas d'empoisonnements, ici. Paraît que les chirur-

(1) Allusion à la secte des Rose-Croix.

giens ont besoin de cœurs pour leurs greffes. Personnellement je n'y crois pas. Miss Packard n'est pas le genre de femme à tolérer cela.

Au rez-de-chaussée, la directrice introduisait Tuppence dans une large pièce tout en s'excusant de l'accueil que venait de lui réserver Mrs Fanshawe.

– Les personnes âgées ont parfois des antipathies impulsives sur lesquelles elles restent butées.

– Il doit être difficile de diriger un tel établissement?

– Pas vraiment et j'aime ce métier. Je suis très attachée à mes pensionnaires. Elles ont leurs petites manies, leur caractère mais lorsque l'on sait de quelle façon les prendre, elles se montrent assez raisonnables. Elles sont comme des enfants, quoique ces derniers aient plus de logique; elles ont besoin d'être rassurées, mais à condition de ne pas les contrarier. Nous avons un excellent personnel, doué d'une patience infinie, ayant bon caractère et pas trop intellectuel. Les gens excessivement intelligents ont tendance à avoir des sautes d'humeur. Qu'y a-t-il, Miss Donovan? lança-t-elle à l'adresse d'une jeune femme qui venait d'entrer précipitamment.

– C'est encore Mrs Lockett, Miss Packard. Elle jure qu'elle est mourante et réclame le médecin d'urgence.

– De quoi meurt-elle, cette fois? s'enquit calmement la directrice.

– Elle prétend avoir remarqué des champignons dans le ragoût d'hier et elle estime avoir été empoisonnée.

– Quelle idée! Je vais aller la rassurer. Excusez-moi de vous abandonner, Mrs Beresford. Vous trouverez des magazines et des journaux sur cette table.

– Ne vous inquiétez pas pour moi.

Restée seule, Tuppence découvrit une vieille dame abritée derrière le dossier d'une bergère. Elle tenait à la main un verre de lait qu'elle contemplait. Tournant un visage encore jeune et aimable vers Mrs Beresford, elle demanda d'une voix douce :

– Venez-vous vivre ici ou simplement rendre une visite?

– Je suis venue voir ma tante. Mon mari est avec elle en ce moment. Nous avons pensé que deux visiteurs dans sa chambre la fatigueraient.

– C'est très délicat de votre part. – Elle but une gorgée de lait et observa pensivement. – Je me demande... Non, je pense que ça va. Voulez-vous prendre du thé ou du café? Ils sont très obligeants, ici.

– Ne vous donnez pas cette peine. Je n'ai besoin de rien.

– Ou peut-être préféreriez-vous un verre de lait? Il n'est pas empoisonné aujourd'hui.

– Non, merci. Nous repartons bientôt.

– Comme vous voudrez... mais cela ne dérangerait personne, je vous assure. Le personnel est très serviable, à condition de ne pas demander l'impossible.

– Je crains que notre tante soit le genre de personne à demander l'impossible, Miss Fanshawe... vous la connaissez?

– Oh ! oui...

Tuppence, remarquant son hésitation à poursuivre, admit d'un ton enjoué :

– Elle a toujours été un dragon.

– Je sais. J'avais moi-même une tante qui lui ressemblait beaucoup, surtout dans ses vieux jours. Nous aimons tous Mrs Fanshawe. Quand elle le veut, elle sait se montrer très amusante. Surtout lorsqu'elle parle des autres. A propos, je suis Mrs Lancaster.

– Mon nom est Beresford.

– Un peu de malice ne fait pas de mal de temps à autre. La façon qu'elle a de décrire les pensionnaires et de nous confier ce qu'elle pense d'eux, est bien divertissante, quoique nous ne devrions pas en rire.

– Y a-t-il longtemps que vous vivez ici?

– Sept ou huit ans... Peut-être plus. Vous savez, on perd la notion du réel dans cette maison. Toute la famille qui me reste habite l'étranger.

– Cela doit être triste pour vous?

– Pas tellement. Je ne les aimais pas beaucoup. En fait, nous nous fréquentions très peu. J'ai été sérieusement malade et comme je vivais seule, ils ont pensé que je serais mieux soignée dans un endroit comme celui-ci. Je me tiens pour une privilégiée de m'y trouver. Le personnel est charmant et les jardins sont magnifiques. J'admets à présent que je ne pourrais plus vivre seule, car il m'arrive parfois d'avoir l'esprit un peu embrouillé. Maintenant encore, mes idées ne sont pas toujours claires. Des événements m'échappent.

– Nous sommes ainsi faits, que nous souffrons toujours de quelque chose.

– Certaines maladies sont très douloureuses. Nous avons deux pensionnaires atteintes de rhumatismes articulaires qui leur infligent des douleurs bien pénibles. Alors, dans le fond, ce n'est pas si terrible d'avoir des pertes de mémoire. Au moins, on ne souffre pas.

– Il se peut que vous ayez raison.

Une jeune servante entra à ce moment, chargée d'un plateau qu'elle déposa sur une petite table près de Tuppence.

– Miss Packard a pensé que vous aimeriez prendre une tasse de café.

– Comme c'est gentil. Merci.

Lorsque la jeune fille se fut retirée, Mrs Lancaster reprit :

– Je vous avais prévenue. Ils sont pleins d'attentions.

Tuppence se servit et offrit l'assiette de biscuits à la vieille dame.

– Non, merci, ma chère, je préfère prendre mon lait sans rien d'autre.

Elle se débarrassa de son verre vide et se cala confortablement dans la bergère. Tuppence, remarquant que ses paupières s'alourdissaient, pensa que c'était l'heure à laquelle elle se reposait chaque jour. Mais soudain, la vieille dame ouvrit les yeux et rompit le silence en observant :

– Je vois que vous fixez la cheminée.

– Pardon ?

– Je me demandais... Se penchant vers elle, elle chuchota : Pardonnez ma question mais, était-ce votre pauvre enfant ?

Prise de court, Tuppence bégaya :

– Je... non, je ne crois pas.

– Ah ? Je pensais que vous étiez peut-être venue pour cette raison. Quelqu'un devrait jeter un coup d'œil dans la cheminée. La manière dont vos yeux y étaient rivés... C'est là qu'il est, vous savez...

– Vraiment ?

– C'est toujours à la même heure de la journée.

– Elle leva les yeux sur la pendule, imitée par la visiteuse. – Onze heures dix... oui, c'est toujours à la même heure.

Elle prit un air absent puis soupira :

– Les autres n'ont pas compris... Je leur ai confié ce que je savais... mais ils n'ont jamais voulu me croire !

Tuppence fut soulagée par l'apparition de son mari. Se dressant, elle annonça :

– Je suis prête. Nous pouvons partir. – Le rejoignant, elle lança par-dessus son épaule : – Au revoir, Mrs Lancaster ! et referma la porte sur elle.

– Comment s'est déroulée votre entrevue avec la tante ? s'enquit-elle.

– Après votre départ, tout a marché comme sur des roulettes.

– J'imagine que j'ai fait très mauvaise impression sur elle. Dans un sens, c'est assez flatteur.

– Pourquoi ?

– Ma foi, à mon âge et avec mon air respectable, il est plaisant de passer pour une femme dépravée, une vamp.

– Idiote ! – Il lui serra affectueusement le bras. – Avec qui papotiez-vous ? Elle m'a semblé être une charmante vieille chatte.

– Elle est très gentille, mais malheureusement complètement toquée.

– Toquée ?

– Elle est persuadée qu'il y a un enfant mort derrière la cheminée. Elle m'a demandé s'il s'agissait de « mon pauvre enfant ».

– Plutôt macabre. Je suppose qu'il doit y en avoir plusieurs comme elle dans l'établissement. Enfin, elle avait l'air fort douce ?

– Très. Je me demande ce qui lui a passé par la tête et pourquoi.

Miss Packard se matérialisa soudain.

– Au revoir, Mrs Beresford. J'espère qu'on vous a servi du café pendant que vous attendiez?

– Oui et je vous en remercie.

– Je suis persuadée que votre tante a été ravie de votre visite, Mr Beresford. Je suis désolée qu'elle se soit montrée grossière envers votre femme.

– Je suis sûr qu'elle en a éprouvé un grand plaisir.

– Elle tire une satisfaction toute particulière à se conduire de la sorte.

– Et elle ne rate jamais une occasion, appuya Tommy.

– La vieille dame avec laquelle je m'entretenais dans le salon, Mrs Lancaster, je crois... n'est-elle pas un peu étrange?

– Plusieurs de nos pensionnaires sont ainsi. Mais ils sont inoffensifs, vous savez. Nous essayons de ne pas les écouter pour les décourager. Ils aiment se créer un monde imaginaire, envoûtant, triste ou même tragique mais aucun n'éprouve la manie de la persécution. Heureusement, sinon nous ne pourrions les garder.

En prenant place au volant de sa voiture, Tommy confia à sa femme:

– Je suis content que cette corvée soit terminée. Nous n'aurons pas besoin de revenir avant au moins six mois.

Mais Tommy se trompait car, trois semaines plus tard, tante Ada mourait pendant son sommeil.

III

## UN ENTERREMENT

Les Beresford revenaient de l'enterrement de tante Ada. Ils avaient dû se résigner à un long voyage en chemin de fer car la famille de la défunte reposait dans un petit cimetière du Lincolnshire.

En réintégrant leur appartement, Tuppence soupira :

– Je trouve les enterrements bien tristes.

– Comment devraient-ils être, à votre avis? Des parties de plaisir?

– Les Irlandais, par exemple, qui tiennent beaucoup à la tradition des veillées mortuaires, commencent par des lamentations qui dégénèrent en beuveries. *A boire!* lança-t-elle soudain en tournant la tête vers le bar.

Tommy lui prépara le cocktail qu'il jugea approprié aux circonstances « White Lady (1) » et qu'elle but avec plaisir.

(1) White Lady : cocktail préparé à base de gin, de Cointreau et de citron.

Se débarrassant de son chapeau et de son manteau noir, elle commenta :

– J'ai les enterrements en horreur. Ils sentent toujours la naphtaline à cause de leur côté apprêté.

– Vous n'avez pas besoin de garder le deuil toute votre vie.

– Certainement pas ! Je vais tout de suite me mettre une robe rouge cerise pour me remonter le moral. En attendant, préparez-moi un autre « White Lady ».

– Je n'aurais jamais cru que les enterrements déclenchaient en vous cette envie de boire !

Lorsqu'elle réapparut, moulée dans un vêtement écarlate, rehaussé d'un lézard en diamants et rubis, Tuppence expliqua :

– Ce sont surtout les enterrements du genre de celui de tante Ada qui me sont pénibles. Une vieille femme et peu de fleurs. Seulement quelques parents éloignés l'accompagnant au cimetière et gardant l'œil sec. On ne la regrettera pas beaucoup.

– J'aurais cru que vous préfériez assister à un enterrement comme le sien, plutôt qu'au mien, par exemple.

– C'est là que vous vous trompez, mon cher. Évidemment, j'aime mieux ne pas penser au vôtre, car je souhaite partir la première, mais si je devais être témoin de votre mort, je commencerais par me noyer dans mes larmes. Il me faudrait une centaine de mouchoirs, au moins.

– Bordés de noir ?

– Je n'y avais pas pensé, mais pourquoi pas ? Et je trouve que l'office des morts a un caractère apaisant. Il vous donne une sensation de bien-être.

– Franchement, Tuppence, je trouve vos idées sur

ma mort et les effets qu'elle vous procurerait, d'un réel mauvais goût. Oublions ce sujet, voulez-vous?

– Avec plaisir.

– La pauvre vieille chose est partie sans souffrir. Amen. Bon, je ferais bien de mettre tous ces papiers en ordre.

Il fourragea parmi son courrier.

– Savez-vous où j'ai mis la lettre de Mr Rockbury, Tuppence?

– Qui est-il? Ah! oui, le notaire qui vous a écrit récemment?

– Oui. Au sujet de l'héritage. Il semble que je sois le seul légataire de tante Ada.

– Dommage qu'elle ne vous laisse pas une fortune.

– Si elle en avait une, elle l'aurait de toute façon abandonnée à la S. P. A. Ce qu'elle leur a promis de son vivant par testament engloutira presque tout ce qui restera après les frais d'enterrement. Remarquez que je n'ai pas besoin de son argent.

– Aimait-elle les chats?

– Pas que je sache. Je me souviens qu'elle avait une façon espiègle de déclarer à ses amies qui venaient la voir: « J'ai pensé à vous dans mon testament, ma chère! Cette broche que vous aimez tant vous reviendra après ma mort. » En vérité, elle n'a rien laissé à personne, sinon à la S. P. A.

– Je l'imagine très bien inspirant de faux espoirs à ses amies et riant sous cape. Je dois admettre qu'elle était une fameuse garce, bien que dans un sens, son caractère ait eu du piquant. Ce ne doit pas être bien drôle d'être enfermé dans une maison de vieillards. Devrons-nous aller au « Côteau Ensoleillé »?

– Où est la lettre de Miss Packard? Ah! la voici. Oui, elle précise que ma tante laisse certaines choses qui doivent me revenir. Elle vivait là-bas, entourée d'une partie de son mobilier. Il y a aussi ses effets personnels et des papiers qu'il me faudra examiner. Je ne pense pas que quoi que ce soit dans ce fatras puisse nous intéresser, si ce n'est le petit bureau qui, je me souviens, appartenait à l'oncle William.

– Nous enverrons le reste à la salle des ventes.

– Il n'est pas nécessaire que vous m'accompagniez.

– Pourtant, cela me ferait plaisir.

– Vraiment?

– Fourrager parmi les reliques me passionne. Les lettres et les bijoux sont intéressants à regarder et nous devrions jeter un coup d'œil là-dessus avant de rien expédier à la salle des ventes. J'irai avec vous, Tommy.

– Est-ce vraiment la seule raison pour laquelle vous tenez à faire ce voyage?

– Mon Dieu! c'est terrible d'être marié avec quelqu'un qui devine toutes vos pensées.

– Ainsi, vous avez une idée derrière la tête?

– Rien de précis.

– Allons, Tuppence. Vous n'êtes pas du genre à fouiner dans les affaires des autres, avec plaisir.

– Je considère cela comme de mon devoir. Non, l'autre raison est que...

– Allez, dites-le?

– Eh bien! j'aimerais revoir la vieille chatte avec laquelle je bavardais.

– Comment, celle qui croyait qu'il y avait un enfant mort dans la cheminée?

– Oui. Je voudrais de nouveau m'entretenir avec

elle pour chercher à comprendre ce qui lui trotte dans la tête. Était-ce un événement dont elle se souvenait ou un sujet de son imagination? De plus, qu'est-ce qui l'a poussée à croire que cet enfant, réel ou imaginaire, était le mien? Ai-je l'air d'avoir perdu un enfant?

– Parce que vous vous figurez qu'une personne, dans ce cas, a une tête spéciale? Enfin, c'est de notre devoir d'aller là-bas. Vous pourrez, de votre côté, vous amuser à votre façon *macabre*. Bien, c'est entendu. Écrivons tout de suite à Miss Packard pour décider du jour de notre visite.

IV

# TABLEAU D'UNE MAISON

Tuppence, embrassant du regard les pelouses du « Coteau Ensoleillé », se tourna vers son mari et soupirant :

– Rien n'a changé.

– Je ne vois pas pourquoi le site se serait transformé depuis notre dernière visite ?

– Généralement, lorsque l'on retrouve un lieu familier, on s'attend à y remarquer des changements et à constater ainsi la fuite du temps. Mais, en regardant cette maison paisible, on a l'impression que tout y reste figé.

– Allez-vous rester plantée ici toute la journée à disserter ? Sonnons, et en fait de changements, n'oubliez pas que tante Ada n'est plus ici.

Une petite bonne ouvrit la porte et les conduisit dans la salle d'attente. Miss Packard les y rejoignit bientôt. Elle affichait un air de circonstance. Son rôle de directrice l'avait habituée à présenter ses condoléances aux familles de ses pensionnaires disparues.

– Je suis contente que vous soyez venus si vite,

car j'ai trois ou quatre demandes en instance, pour la chambre dans laquelle je vais vous conduire tout de suite.

Dans la petite pièce qu'avait occupée tante Ada, on ressentait une impression macabre avec le lit recouvert d'une housse blanche, l'armoire béante. On y éprouvait un sentiment d'abandon.

En voyant la pile de vêtements soigneusement pliés sur le lit, Tuppence s'enquit :

– Que faites-vous habituellement des effets personnels ?

La directrice, à laquelle on posait toujours cette question, répliqua aussitôt :

– Je connais deux ou trois établissements charitables qui les accepteraient avec gratitude. Votre tante possédait une étole et un bon manteau que vous aimeriez peut-être laisser à quelqu'un de votre entourage ?

Pour toute réponse, Tuppence hocha négativement la tête.

– Elle avait aussi quelques bijoux que j'ai rangés dans le tiroir de droite de la table de toilette pour plus de sûreté.

Alors que Tommy remerciait Miss Packard, le regard de Tuppence fut attiré par un petit tableau à l'huile, placé au-dessus de la cheminée. Il représentait une maison d'un rose fané, face à un canal qu'enjambait un pont en dos d'âne. Sous le pont, contre la rive, un bateau attendait. Sur le fond du paysage, se profilaient deux peupliers. Bien que la scène fût charmante, Tommy se demandait pourquoi sa femme la contemplait avec autant d'intérêt.

– C'est étrange... Je n'ai pas remarqué ce tableau lors de notre précédente visite. Le plus curieux est qu'il me semble avoir déjà vu cette maison quelque part, ou alors elle ressemble étrangement à celle à laquelle je fais allusion... Néanmoins, je ne me souviens absolument plus où et quand je l'ai aperçue. Et vous, Tommy, vous dit-elle quelque chose?

– Non. C'est la première fois que je vois ce tableau.

Miss Packard, qui les avait écoutés en silence, intervint :

– Je crois bien que votre tante l'a eu quelques jours avant sa mort. En fait, il appartenait à une autre pensionnaire qui, touchée par l'admiration de Miss Fanshawe pour cette peinture, la lui offrit.

– Dans ce cas, ce ne peut être que le vrai paysage représenté ici que j'ai contemplé. Vous êtes sûr, Tommy, de ne pas le reconnaître?

Mr Beresford haussa les épaules.

– Je vais vous laisser seuls, maintenant. Si vous avez besoin de moi, n'hésitez pas à m'appeler.

Dès que Miss Packard se fut retirée, Tuppence remarqua :

– Décidément, je n'aime pas les dents de cette femme.

– Que leur reprochez-vous?

– Ou bien, elle en a trop, ou bien elles sont trop grandes. *C'est pour mieux te manger, mon enfant...* comme le loup du petit Chaperon Rouge.

– Vous semblez d'une humeur bien étrange, aujourd'hui.

– Je l'admets. J'ai toujours considéré Miss Packard comme une personne charmante, mais aujourd'hui pour je ne sais quelle raison, elle me fait une mauvaise impression. A vous aussi?

– Pas du tout! Allons, Tuppence, occupons-nous

de ce qui nous amène. Jetez un coup d'œil sur les affaires de la pauvres tante, pour reprendre une expression du notaire. Regardez, voici le petit bureau de l'oncle William dont je vous ai parlé. Vous plaît-il ?

– Il est ravissant. Je crois bien qu'il est d'époque Régence. Ce doit être un réconfort pour les personnes âgées qui vivent ici d'être autorisées à s'entourer de quelques-uns de leurs souvenirs. Les fauteuils ne me plaisent pas beaucoup, mais par contre, j'ai le béguin pour la petite table à ouvrage. Nous pourrions la mettre près de la fenêtre de notre salon, à la place de l'affreux buffet massif.

– Entendu, je vais prendre note de ces deux meubles.

– Et nous emmenons aussi le tableau. C'est un bon travail à l'huile, et je vous répète que cette maison m'est familière. Maintenant, voyons les bijoux.

Ils découvrirent dans la table de toilette, une parure de camées, un bracelet florentin avec pendants d'oreilles assortis et une bague ornée de pierres différentes dont Tuppence se saisit.

– Je connais ces pierres. Elles ont habituellement un langage comme par exemple : « Affectueusement vôtre. » Je ne puis cependant imaginer quelqu'un faisant cadeau d'une telle bague à votre tante. Je vois un rubis, une émeraude, un autre rubis – à moins que ce ne soit un grenat – une améthyste et un petit diamant au centre. Je me souviens ! Ces pierres signifient « Respects ». C'est émouvant, vous ne trouvez pas ? Il y a là une note vieux jeu et sentimentale.

Passant l'anneau à son doigt, elle ajouta :

– Je suis sûre qu'elle plairait à Deborah, de

même que l'ensemble florentin. Elle est en ce moment passionnée par l'époque « victorienne », comme beaucoup de jeunes d'ailleurs. Maintenant, regardons les vêtements. Tiens, voici l'étole en fourrure. Elle est originale mais sans grande valeur. Nous pourrions peut-être l'offrir à quelqu'un qui s'est montré gentil envers tante Ada? J'en toucherai un mot à Miss Packard. Quant au reste, il peut aller tout droit à une œuvre de charité. Jetant un coup d'œil vers le lit, elle murmura :

– Adieu, tante Ada. Je suis heureuse que nous soyons venus vous voir le mois dernier et je regrette de ne pas vous avoir plu. Si cela vous amusait de ne pas vous montrer aimable à mon égard, je ne vous en tiens pas rigueur. Nous penserons à vous chaque fois que nous regarderons le bureau de l'oncle William.

Lorsqu'ils rejoignirent Miss Packard, Tommy expliqua qu'il effectuerait les démarches nécessaires pour expédier le bureau et la travailleuse chez lui et qu'il se mettrait en rapport avec une salle des ventes pour disposer des autres meubles. Il lui laissait le soin de choisir une œuvre à laquelle les vêtements seraient utiles.

Tuppence intervint :

– Pensez-vous que quelqu'un qui l'a connue de son vivant aimerait recevoir l'étole? Une infirmière ou une amie...

– C'est très aimable de votre part, Mrs Beresford, mais je doute que Miss Fanshawe se soit bien entendue avec son entourage. Il y a toutefois Miss O'Keefe, une de nos infirmières, qui s'est beaucoup occupée d'elle. Je suis sûre qu'elle regarderait le don de l'étole comme un honneur.

– Quant au tableau, j'aimerais le garder, mais

peut-être que la personne qui l'a donné à notre tante aimerait le récupérer? Voulez-vous le lui demander pour moi?

– Je regrette, Mrs Beresford, mais c'est impossible. Il appartenait à Mrs Lancaster, et cette dernière nous a quittés.

– Mrs Lancaster! La vieille dame avec laquelle j'ai bavardé dans votre salon lors de notre dernière visite. Elle est partie?

– Assez brusquement, d'ailleurs. Une parente, Mrs Johnson, est venue la chercher, il y a environ une semaine. Cette Mrs Johnson rentre d'Afrique où elle a passé quatre ou cinq ans. Son mari et elle vont s'installer en Angleterre et ils pourront veiller sur Mrs Lancaster en la gardant chez eux. Je ne pense pas que notre pensionnaire ait été ravie de nous quitter. Elle s'était habituée à nous et à notre maison. Ce départ soudain l'a beaucoup peinée, mais qu'y pouvons-nous? J'ai bien essayé de l'aider en suggérant qu'il vaudrait mieux, pour sa tranquillité, qu'elle restât parmi nous...

– Depuis combien de temps vivait-elle ici?

– Près de six ans, ce qui explique son désir de demeurer dans un cadre devenu familier.

– C'est très compréhensible. Tuppence jeta un coup d'œil entendu à Tommy, avant de remarquer: Je regrette qu'elle soit partie. Son visage m'avait paru familier dès notre première rencontre et depuis, je me suis souvenue de l'avoir rencontrée chez une de mes amies, Mrs Blenkinsop. J'aurais eu grand plaisir à la revoir, pour apprendre si nous avions d'autres amies communes.

– J'avoue que nos pensionnaires sont ravies de se découvrir des relations. Je ne me souviens cependant pas d'avoir entendu Mrs Lancaster faire allusion à la personne dont vous parlez.

Tuppence insista :

– Pouvez-vous m'en apprendre plus sur le compte de Mrs Lancaster? Quelle est sa famille et qu'est-ce qui l'a poussée à choisir votre établissement, par exemple ?

– Comme je vous le disais, il y a environ six ans, Mrs Johnson m'a écrit pour prendre des renseignements, influencée par le rapport élogieux que lui en avait fait une de nos anciennes pensionnaires. Une semaine plus tard, un notaire nous écrivait à son tour, pour régler les détails complémentaires et peu de temps après, Mrs Johnson venait installer sa parente qui apportait quelques-uns de ses meubles favoris. Les Johnson devant partir en Afrique et se refusant à laisser la vieille dame seule, furent heureux de la savoir entre nos mains. Tout le monde, ici, l'aimait beaucoup.

– Recevait-elle beaucoup de courrier de l'étranger ?

– Il me semble que les Johnson lui ont écrit deux ou trois fois au cours de la première année, mais depuis, plus de nouvelles... Les gens sont négligents, surtout lorsqu'ils s'installent dans un nouveau pays. Il est vrai que même avant leur départ, ils voyaient rarement leur parente. Les arrangements financiers avaient été confiés aux soins d'un notaire, de réputation solide, Mr Eccles. Une ou deux de nos pensionnaires nous furent déjà recommandées par lui. Nous le connaissons et il nous connaît bien. Je me souviens que Mrs Lancaster n'a reçu qu'une seule visite durant son séjour ici. Il s'agissait d'un homme très bien, rentrant des colonies et probablement envoyé par les

Johnson pour se rendre compte si la vieille dame se plaisait dans notre établissement.

– Et après cela, tout le monde l'a oubliée, j'imagine?

Miss Packard hocha la tête.

– Triste, n'est-ce pas? Heureusement, nos pensionnaires se lient d'amitié entre elles et oublient vite le monde extérieur.

Tommy intervint :

– Je suppose que beaucoup sont un peu... Il leva la main vers son front, mais se reprit : Je ne veux pas dire...

– Je vous suis parfaitement, Mr Beresford. Mais nous n'acceptons pas ici de malades mentaux. Cependant, nombre de nos vieillards ont des trous de mémoire et des obsessions bizarres. Par désœuvrement, certains se plaisent à incarner des personnages historiques. Ils sont tout à fait pacifiques, vous savez. Nous comptons déjà deux Marie-Antoinette et une Marie Curie. Ils oublient aussi leur nom ou se creusent l'esprit à longueur de journée pour se rappeler un détail extrêmement important qu'ils doivent absolument nous confier.

Tuppence hésita avant de demander :

– Était-ce le cas pour Mrs Lancaster? Elle cherchait à se souvenir d'une histoire concernant la cheminée de votre salle de séjour, je crois?

Miss Packard la regarda, ébahie.

– Je ne vois pas à quoi vous faites allusion.

– Elle a vaguement parlé devant moi d'une cheminée. Peut-être a-t-elle eu, il y a longtemps, un accident où une cheminée jouait un rôle essentiel. Pour en revenir au tableau, je suis tout de même ennuyée.

– Il n'y a aucune raison, Mrs Beresford. A l'heure qu'il est, Mrs Lancaster l'a probablement oublié. Je ne pense pas qu'elle y tenait particulièrement, et elle a été heureuse de le donner à Miss Fanshawe. Je crois qu'elle serait contente en apprenant quee vous en héritez, si vous l'appréciez à votre tour. C'est une jolie toile, d'ailleurs, bien que personnellement, je ne sois pas assez experte pour juger de sa valeur.

– Si vous voulez me donner l'adresse de Mrs Johnson, je lui écrirai pour lui demander la permission de garder cette toile.

– La seule qu'elle m'ait laissée est celle de l'hôtel où elle devait descendre à Londres pour quelques jours avant de rejoindre des amis en Écosse. Hôtel Cleveland, George Street, W. I. Là, on sera sûrement à même de vous indiquer une autre adresse.

– Je vous remercie. Maintenant, réglons la question de l'étole.

– Je vais appeler tout de suite Miss O'Keefe.

Durant son absence, Tommy s'exclama :

– Vous et votre Mrs Blenkinsop !

Tuppence prit un air espiègle.

– Une de mes meilleures créations. Je suis contente d'avoir pensé à elle. C'était le bon temps, n'est-ce pas ?

– Mais révolu ! Finie la chasse aux espions au service de l'ennemi et le contre-espionnage.

– C'est bien regrettable... Vous vous rappelez cette pension de famille où j'avais eu l'idée de m'inventer une nouvelle personnalité ? J'en étais vraiment arrivée à me mettre dans la peau de cette Mrs Blenkinsop.

– Vous avez eu de la chance de ne pas avoir été

démasquée, car à mon avis, je vous l'ai dit plus tard, vous aviez forcé votre rôle.

– Absolument pas! J'étais censée passer pour une charmante femme sans cervelle et incapable de veiller sur l'éducation de ses trois fils.

– Vous voyez bien! Un seul fils vous aurait largement suffi, voyons!

– Dans mon esprit, ils s'étaient matérialisés à merveille. Il y avait Douglas, Andrew et... j'ai oublié le nom du troisième. J'avais très bien brossé la personnalité de chacun d'eux et mis au point les moindres détails les concernant.

– Tout ça, c'est du passé. Il n'y a rien à découvrir ici, et vous feriez mieux d'oublier votre Mrs Blenkinsop. Après ma mort, lorsque vous m'aurez assez pleuré et que vous vous serez réfugiée dans un établissement semblable à celui-ci, je parie que vous personnifierez la plupart du temps votre héroïne, Mrs Blenkinsop.

– Cela m'étonnerait, car il doit être bien ennuyeux de n'avoir qu'un seul rôle dans son répertoire.

– A votre avis, pourquoi les vieilles personnes se jouent-elles ainsi la comédie?

– Probablement parce qu'elles sont désœuvrées. Je comprends ce besoin.

– Cela ne me surprend pas. La maison qui vous hébergera en verra de toutes les couleurs avec vous.

– En tout cas, je ne me prendrai pas pour un personnage célèbre. Le rôle de fille de cuisine au château d'Anne de Clèves me tente assez. Il doit y avoir des ragots pleins de piquants à raconter sur les châtelains.

A ce moment, Miss Packard réapparut, suivie d'une grande jeune femme au visage ingrat et couvert de taches de rousseur, portant l'uniforme d'infirmière.

– Je vous présente Miss O'Keefe. Excusez-moi à nouveau. Une de mes malades me réclame.

Tuppence offrit l'étole à l'infirmière qui s'extasia :

– Elle est trop belle pour moi, madame. Je suis sûre que vous pourriez la porter, vous-même.

– Elle est beaucoup trop grande et je vois que vous avez la même taille que notre tante.

– Ah !... C'était une dame, Miss Fanshawe... Elle avait dû être très belle dans sa jeunesse.

– C'est possible, approuva Tuppence d'un air dubitatif. Elle a dû cependant être une malade difficile.

– Oui, mais elle avait un esprit remarquable. Un vrai boute-en-train, quand elle le voulait. Sa perspicacité vous aurait étonnée. Elle racontait des anecdotes amusantes sur son jeune temps. Il paraît qu'enfant, elle a traversé à cheval toute la maison qu'habitaient ses parents à la campagne. Pensez-vous que ce soit vraisemblable, monsieur ?

– De ma tante, cela ne m'étonnerait pas.

– On ne sait jamais que croire, ici, avec toutes les histoires que certaines inventent. Il arrive que l'une ou l'autre affirme avoir démasqué parmi ses voisines, une criminelle dangereuse et ennuie tout le monde en insistant pour que la police soit informée sur-le-champ...

Tuppence saisit l'occasion pour couper :

– La dernière fois que nous sommes venus, quelqu'un se croyait empoisonné.

– Il devait s'agir de Mrs Lockett. Elle est en proie à la même obsession tous les jours. Mais elle, c'est l'attention des médecins qu'elle souhaite attirer, parce qu'elle se croit négligée.

– Un peu comme la vieille dame qui réclamait sans cesse son cacao ?

– Ça, c'était Mrs Moody. La pauvre, elle nous a quittés...

– Vous voulez dire qu'elle est partie ?

– Emportée par une thrombose. Ça a été soudain. Elle s'entendait bien avec votre tante.

– Il paraît que Mrs Lancaster est retournée dans sa famille ?

– Oui, ils sont venus la chercher. La pauvre, elle a eu de la peine de nous quitter.

– Elle m'avait vaguement parlé d'une histoire de cheminée. Savez-vous à quoi elle faisait allusion ?

– Celle-là, elle racontait toujours des histoires sur son passé en insinuant qu'elle connaissait un tas de secrets. Mais, allez donc savoir si elle n'inventait pas...

– Au sujet de cette cheminée dont elle parlait, il était question d'un enfant... un enfant disparu ou... assassiné.

– Incroyable tout ce qui leur passe par la tête ! Moi, je crois que c'est tout ce qu'elles voient à la télévision qui les impressionne.

– N'est-ce pas trop pénible de travailler au milieu de ces vieilles femmes ?

– J'aime bien m'occuper d'elles.

– Êtes-vous ici depuis longtemps ?

– Un an et demi. – Elle hésita. – Mais, je m'en vais le mois prochain.

– Vraiment ?

L'infirmière parut témoigner d'un certain malaise et expliqua avec un rire nerveux :
– On a parfois besoin de changement.
– Continuerez-vous à exercer dans la même branche ?
– Bien sûr.
Elle prit la fourrure qu'elle caressa.
– Je vous remercie, madame. Cette parure me rappellera cette bonne Miss Fanshawe. On ne voit plus beaucoup de personnes comme elle, de nos jours et c'est bien regrettable.

V

## UNE VIEILLE DAME A DISPARU

Les meubles de tante Ada arrivèrent chez les Beresford, quelques jours plus tard. Le secrétaire occupa la place d'honneur dans le salon, et la table à ouvrage remplaça le vieux bahut près de la fenêtre. Tuppence accrocha le tableau au-dessus de la cheminée dans sa chambre afin de pouvoir le contempler chaque matin à son réveil.

Pour être quitte avec sa conscience, Tuppence écrivit à Mrs Lancaster – aux bons soins de l'hôtel Cleveland – afin de l'informer qu'elle était en possession du tableau mais qu'elle le tenait à sa disposition au cas où elle désirerait le récupérer. Une semaine plus tard, sa lettre lui était retournée avec la formule « inconnue à cette adresse ».

Irritée, Tuppence fit part de sa déception à son mari, qui pour la rassurer, suggéra :

– Vous avez sans doute oublié de demander à l'hôtel de faire suivre votre missive.

– Mais non ! Je vais leur téléphoner tout de suite pour tirer l'affaire au clair.

– Pourquoi tant d'histoires? A l'heure actuelle, je suis bien sûr que la vieille chatte a complètement oublié l'existence de ce tableau.

– Je préfère m'en assurer personnellement.

Quelques minutes plus tard, Mrs Beresford rejoignait son mari dans la bibliothèque pour lui confier :

– C'est curieux, l'hôtel n'a jamais eu de clients répondant au nom de Johnson.

– Miss Packard aura sans doute confondu le Cleveland avec un autre hôtel.

– Cela m'étonnerait d'elle.

– Les Johnson n'avaient peut-être pas retenu de chambre à l'avance, et se seront réfugiés ailleurs. Pourquoi faire une montagne de tout ce qui touche à Mrs Lancaster?

Pour toute réponse, Tuppence lui tourna le dos, mais lui fit de nouveau face pour annoncer :

– Je viens d'avoir une idée. Je vais chercher dans le bottin l'adresse du notaire Mr Eccles, dont Miss Packard a cité le nom en parlant des Johnson.

Son mari qui peinait sur le discours qu'il devait prononcer au cours d'une prochaine conférence, grogna une réponse indistincte. Tuppence quitta la pièce en coup de vent et revint presque aussitôt les joues en feu.

Déposant une feuille de papier sous le nez de Tommy, elle s'écria :

– Voilà ! A vous de jouer, maintenant !

– Qu'est-ce que c'est? Mr Eccles, firme Partingdale Harris Lockeridge et Partingdale, 32 Lincoln Terrace, W.C.7., téléphone Holborn 051386. Je ne comprends pas.

– Vous allez téléphoner à Mr Eccles, notaire, pour prendre des renseignements sur Mrs Lancaster.

– Moi ?

– Oui. Je vous rappelle qu'il est question de votre tante !

– Je ne vois pas ce que tante Ada vient faire dans l'histoire.

Pleine de mauvaise foi, Tuppence biaisa :

– Vous savez bien que les notaires n'aiment pas avoir affaire aux femmes, surtout au téléphone.

– Je serais enclin à partager leur point de vue.

– S'il vous plaît, Tommy, aidez-moi ? Un coup de fil ne vous prendra pas longtemps.

Tommy se leva résigné, sachant que Tuppence ne le laisserait pas tranquille avant d'avoir obtenu ce qu'elle voulait. Lorsqu'il la rejoignit, cinq minutes plus tard, il annonça d'un ton ferme :

– Cette fois, Tuppence, l'affaire est complètement réglée. Je n'ai pu parler à Mr Eccles, mais à sa place, un certain Wills m'a confié avec obligeance que toutes les missives pour Mrs Johnson devaient être adressées à la « Southern Counties Bank » à Hammersmith qui se chargeait de les faire suivre. Vous n'obtiendrez jamais d'une banque des renseignements complémentaires, donc ma chère Tuppence, là s'arrête votre petite enquête.

– Je vais leur envoyer une lettre pour Mrs Johnson qui, je l'espère, me répondra.

– Agissez comme vous l'entendrez mais de grâce, laissez-moi travailler, sinon mon discours ne sera jamais prêt.

Pour toute réponse, Tuppence lui déposa un baiser

furtif sur le front et sortit de la pièce sur la pointe des pieds.

*
* *

Ce n'est que le jeudi suivant, au cours de la soirée, que Tommy demanda brusquement :

– Avez-vous reçu une réponse à la lettre envoyée à Mrs Johnson ?

– C'est très aimable à vous de vous en inquiéter, mais je n'ai aucune nouvelle et ne compte plus en obtenir.

– Pourquoi ce découragement soudain ?

– Je croyais que cette affaire ne vous intéressait pas ?

– Ne m'en veuillez pas. Vous savez bien que je dois, une fois par an, préparer un discours pour la conférence de l'I. U. A. S.

– Vous vous y rendez lundi, n'est-ce pas et elle vous retient pour cinq jours ?

– Quatre.

– Et j'imagine que, comme par le passé, vous allez tous vous réunir dans une maison de campagne perdue dans la nature palabrer durant des heures, vous abîmer la vue sur des documents insipides et mettre à l'épreuve des jeunes recrues avant de les lancer à travers le monde chargées de missions ultra-secrètes ?

– C'est à peu près cela. J'espère que vous n'avez pas oublié que l'I. U. A. S. signifie International Union of Associated Security ?

– Quel nom compliqué ! C'est ridicule. Et je parie que l'endroit pullulera de micros soigneusement dissimulés afin que vous puissiez vous espionner les uns les autres.

– C'est fort probable, admit Tommy en grimaçant un sourire.

– Et je ne me trompe pas en me figurant que tout cela vous procure un immense plaisir?

– Cela me donne l'occasion de revoir d'anciens collègues et amis.

– ... gâteux pour la plupart. Qu'en tirez-vous de bon?

– Comment vous répondre? Sachez que certains de ces gens-là ont une valeur universellement reconnue.

– Je m'en doute. Le vieux Josh sera-t-il?

– Certainement.

– Que devient-il?

– Il est sourd, presque aveugle et cependant, rien n'échappe à sa perspicacité.

– J'aimerais bien faire partie de votre bande.

– Je m'en doute! Bah, vous trouverez sûrement à employer votre temps durant mon absence.

– Hum...

– Tuppence! que mijotez-vous?

– Rien encore, je réfléchis.

– Et peut-on savoir à quoi?

– Au « Coteau Ensoleillé » et à une vieille dame parlant d'une cheminée. Je suis très intriguée et je suis persuadée que Mrs Lancaster a disparu.

– Que sa famille soit venue la retirer de l'établissement ne signifie nullement qu'elle a disparu.

– Pas d'adresse qui puisse nous mettre sur une piste, pas de résultat du côté de ma petite enquête. A mon avis, cela sent l'enlèvement.

– Mais...

– Écoutez, Tommy. Supposez que vous ayez commis un crime pour lequel vous n'avez jamais été démasqué. L'affaire disparaît peu à peu de l'actualité. Supposez alors qu'un membre de votre famille ait surpris une conversation, un détail compromettant, une vieille femme bavarde, par exemple; vous réalisez brusquement qu'elle est devenue un danger pour votre sécurité. Que feriez-vous?

– Je mettrais de l'arsenic dans sa soupe ou bien je l'assommerais. La pousser dans les escaliers ne me déplairait pas non plus.

– Des méthodes trop brutales, mon cher! Une mort violente pourrait attirer sur vous l'attention de la police. Non, il vous faudrait quelque chose de plus discret, pourquoi pas une maison de retraite où les racontars de la vieille passeraient pour des divagations?

– Mais pas aux yeux de Mrs Beresford.

– Je l'admets et j'ai comme un pressentiment qui me rappelle ce passage de "Macbeth": Mon petit doigt m'a dit: *quelque chose de mauvais vient par ici.* J'ai brusquement réalisé que le « Coteau Ensoleillé » n'était peut-être pas aussi paisible que je l'avais cru. Et juste comme je désirais en découvrir plus, cette pauvre Mrs Lancaster disparaît.

– A votre avis, dans quel but l'aurait-on retirée de sa retraite?

– Justement parce que s'y trouvant en sécurité, elle devait commencer à trop parler. Il se peut, d'un autre côté, qu'elle y ait rencontré et reconnu quelqu'un, à moins que ce soit une autre personne qui, en conversant, lui aura remis quelques détails oubliés, en mémoire.

– Supposition gratuite! Laissez tomber une fois pour toutes le « Coteau Ensoleillé ».

– Je n'ai pas l'intention d'y retourner parce que

j'y ai appris tout ce qu'il y avait à apprendre. Je crois que tant qu'elle logeait dans cet établissement, la vieille dame se trouvait en sécurité. Je veux savoir où elle est, *en ce moment même,* et la retrouver avant que quelque chose de mal ne lui arrive.

– Que pourrait-il lui arriver?

– Je préfère ne pas y penser. Je suis sur la piste, Tommy, et dès maintenant, je reprends mon rôle de détective privé. Vous souvenez-vous du temps où nous étions les « Brillants Détectives de Blunt »?

– Moi, pas vous! Vous oubliez que vous teniez le rôle de Miss Robison, secrétaire particulière.

– En tout cas, je me suis trouvée une occupation pour combler le temps que vous passerez à jouer à cache-cache avec vos anciens collègues.

– Vous découvrirez probablement que votre Mrs Lancaster mène une existence paisible au sein de sa famille retrouvée.

– Je l'espère.

– De quelle façon vous proposez-vous d'agir?

– Il me faut d'abord réfléchir. Une annonce dans le journal, peut-être... Non, ce serait une erreur.

– Quoi qu'il en soit, méfiez-vous!

Tuppence ne daigna pas répondre.

*
* *

Le lundi suivant, Albert, l'ancien garçon de courses, rouquin, des Beresford, du temps où ils exerçaient leur profession de détectives, et devenu leur fidèle domestique, entra dans la chambre où dormaient ses employeurs, déposa un plateau de thé sur la table de chevet qui séparait leurs lits et alla tirer les doubles rideaux en remarquant que la journée s'annonçait belle. Puis, il se retira aussi vite que le lui permettait sa taille devenue rondelette.

Tuppence bâilla bruyamment, se souleva sur ses oreillers et se versa une tasse de thé en commentant l'aspect du ciel.

Tommy se retourna dans son lit en grommelant.

– Réveillez-vous, Tommy. Vous devez voyager, aujourd'hui.

– Seigneur ! j'avais oublié. – Il se redressa et but une gorgée de thé brûlant. Levant les yeux sur la peinture accrochée au-dessus de la cheminée – Je dois admettre, Tuppence, que votre tableau est très joli.

– Cela tient au soleil qui l'éclaire de biais.

– Il s'en dégage une grande douceur.

– Si seulement je pouvais me souvenir du lieu où se cache cette maison. Il faut à tout prix que je la retrouve.

– Pourquoi cet entêtement ?

– Ne comprenez-vous donc pas que ce tableau est le seul objet qui me relie à Mrs Lancaster ?

– Mais voyons, cette femme et le tableau n'ont aucun rapport entre eux ! La toile lui appartenait certes, mais il est possible qu'elle l'ait acquise à une exposition, que quelqu'un lui en ait fait cadeau. Elle l'aura emmenée au « Côteau Ensoleillé » parce qu'elle lui plaisait beaucoup. De là, à la mêler à son passé... D'ailleurs, dans ce cas, elle ne s'en serait pas séparée.

– C'est cependant ma seule piste.

– La maison, comme l'a peinte l'artiste, dégage une paix sereine.

– Évidemment, puisqu'elle est vide.

Tommy regarda sa femme, ahuri.

– Qu'est-ce qui vous a mis cette idée en tête?

– C'est l'impression qu'elle m'a donnée la première fois que je l'ai vue. Je suis sûre que personne n'y habite. Nul n'en sortira jamais. Nul ne traversera ce petit pont, ne détachera le bateau pour s'éloigner en ramant. Cela vous prouve bien que je l'ai déjà vue. Attendez... Attendez! Je crois que...

Sans se laisser influencer par l'expression incrédule de son mari, elle poursuivit :

– Oui, oui. Je l'ai aperçue d'une *fenêtre*. Me trouvais-je dans une voiture? Non, l'angle serait différent. Je courais le long du canal... et sur le pont en dos d'âne. Je revois distinctement les murs roses de la maison, les deux peupliers au loin... Non, il y en avait plus que deux. Oh!... si seulement je pouvais me rappeler...

– Arrêtez de divaguer, Tuppence.

– Ça me reviendra sûrement.

– Bon sang! Il faut que je me hâte. Vous et votre tableau *« déjà vu »*!

Il sauta hors du lit et se rendit dans la salle de bains. Tuppence se renversant sur ses oreillers, ferma les yeux afin de mieux rassembler ses souvenirs pour retrouver celui qui se tenait en marge de sa mémoire.

Dans la salle à manger, Tommy se versait une deuxième tasse de thé lorsque Tuppence apparut, une lueur de triomphe dans les yeux.

– Ça y est, Tommy! J'ai aperçu cette maison de la fenêtre d'un train.

– Où et quand?

– Je ne sais pas. Mais je me rappelle parfaitement m'être dit en la voyant : « Un jour, j'irai voir cette maison de près. » J'ai voulu noter au passage le nom de la gare la plus proche mais vous savez, à l'heure actuelle, bien des trains ne desservent plus les petits villages et je n'ai jamais pu repérer le paysage qui m'intéressait.

Tommy, qui était en retard, préféra ne pas poursuivre la conversation. Il alla chercher sa serviette de documents et vint poser un baiser sur le front de sa femme, qui méditait encore, attablée devant un œuf au bacon.

– Au revoir et surtout n'allez pas vous mêler à des histoires qui ne vous concernent en rien.

– Je crois que je vais m'offrir quelques voyages en chemin de fer.

Tommy la contempla, soulagé.

– C'est cela, ma chérie. Achetez-vous un billet d'abonnement et traversez l'Angleterre dans tous les sens. Vous serez ainsi forcée d'oublier vos recherches de limier et le temps de mon absence vous paraîtra moins long.

– Transmettez mes amitiés à Josh.

– Je n'y manquerai pas. – Il ajouta, malgré lui : – Si seulement, je pouvais vous emmener avec moi... Promettez-moi de ne pas courir de risques inutiles ?

– Vous pouvez partir rassuré, chéri.

VI

# TUPPENCE SUR LA PISTE

Mrs Beresford arpentait son appartement, triste et désœuvrée, en proie à un désarroi profond. Son mari lui manquait énormément. Au cours de leur longue vie conjugale, Tommy et elle ne s'étaient presque jamais quittés. Même avant leur mariage, ils avaient adopté le pseudonyme « les aventuriers inséparables » et ensemble, traversé les mêmes difficultés. Après leur union et la naissance de leurs deux enfants, ils commençaient à croire que leur carrière aventureuse appartenait désormais au passé, lorsque la seconde guerre éclata et l'Intelligence Service – représenté en l'occurrence par un certain Mr Carter – sollicita à nouveau les services de Tommy. Mr Carter, naturellement, déguisait son vrai nom, mais dans l'entourage des Beresford, on respectait hautement ce personnage mystérieux. Tuppence n'avait pas été recrutée. Toutefois, grâce à un subterfuge ingénieux, elle s'était transformée en une certaine Mrs Blenkinsop que Tommy devait découvrir à son arrivée dans une auberge isolée au bord de la mer. Et c'est ainsi que le couple inséparable avait repris son existence mouvementée.

Cette fois-ci, cependant, Tuppence devait s'admettre vaincue. Malgré toute son ingéniosité, elle n'aurait pu s'infiltrer dans la retraite du I. U. A. S.

Pour se consoler, elle murmura, amère :

– Que m'importe leur club de vieux garçons !

Mais que faire pour combler le vide que lui causait l'absence de Tommy ? La question, il est vrai, relevait purement de la rhétorique, du fait que Tuppence avait un plan d'action tout préparé. Il ne s'agirait pas, cette fois, d'une mission conçue par l'I. S. mais d'une enquête de caractère privé.

Après un déjeuner avalé en hâte, elle étala sur la grande table, plusieurs cartes des chemins de fer, des horaires et quelques vieux calepins noircis de notes hâtives.

Au cours des trois dernières années (elle était sûre que cela ne remontait pas plus loin), elle avait pris le train et, de la fenêtre de son compartiment, remarqué la maison en retrait d'un canal. Mais à quelle occasion ?

Comme beaucoup de couples, les Beresford se déplaçaient principalement en voiture, mis à part leur visite chez leur fille mariée, qui habitait l'Écosse et leurs vacances estivales à Penzance dont elle connaissait l'itinéraire par cœur.

Non, il s'agissait plutôt d'un voyage inopiné.

Méticuleusement, elle dressa une liste de toutes les expéditions en chemin de fer, qu'elle avait dû entreprendre. Une ou deux fois pour assister à des courses de chevaux, pour une visite dans le Northumberland, pour deux voyages dans le Pays de Galles, un baptême, deux mariages, une vente aux enchères, enfin un déplacement pour rendre service à une amie malade, dont elle ne se rappelait plus l'adresse d'alors.

Elle poussa un long soupir en se demandant si Tommy n'avait pas eu raison en suggérant qu'elle devrait se procurer une carte d'abonnement pour prospecter au hasard. Feuilletant un de ses vieux calepins, elle faisait travailler sa mémoire : un chapeau... Elle se voyait, jetant un chapeau dans le filet de son compartiment. Or, elle n'avait pu porter une coiffure qu'à l'occasion d'un mariage ou d'un baptême. Un autre détail lui revint à l'esprit. Elle s'était débarrassée de ses chaussures pour soulager ses pieds enflés, juste avant d'apercevoir la maison en question. Donc, elle se rendait bien à une cérémonie. Non... elle en revenait, ce qui expliquait ses pieds douloureux. Et le chapeau qu'elle portait, s'ornait-il de fleurs, choisi pour un mariage durant la belle saison, ou s'agissait-il d'une toque en velours appropriée au temps hivernal ?

Tuppence prenait note des horaires ferroviaires lorsque Albert l'interrompit en s'informant de ce qu'elle désirait pour le souper.

– Je crois que je serai absente quelques jours. Inutile donc de commander quoi que ce soit, je vais voyager en train.

– Emporterez-vous des sandwiches ?

– C'est une idée. Achetez-moi du jambon, si vous voulez.

– Des œufs durs et du fromage vous conviendraient-ils ? Il y a une boîte de pâté dans le garde-manger... Il serait temps de l'utiliser.

Bien que l'offre ne fût pas très appétissante, Tuppence accepta et le garçon poursuivit :

– Voulez-vous que je fasse suivre votre courrier?

– Je ne sais pas encore où je me rends.

– Ah...?

Chez Albert, ce qu'il y avait de bon, c'est qu'il ne posait jamais de questions. Dès qu'il se fut retiré, Tuppence retourna à ses souvenirs. Il lui fallut se remémorer une rencontre familiale pour laquelle elle avait dû porter un chapeau et des chaussures neuves. Malheureusement, les trois occasions consignées sur son carnet, avaient eu lieu l'une dans le Nord, une autre dans l'Est et la troisième au nord de Bedford.

Si seulement elle pouvait se représenter un peu mieux le décor... Voyons : elle se tenait dans le compartiment, à gauche de la fenêtre. Qu'avait-elle remarqué avant d'apercevoir le canal? Des bois, des arbres, des champs? Un village se profilant à l'horizon?

Elle leva la tête et vit Albert qui se tenait à nouveau devant elle au garde-à-vous.

– Qu'y a-t-il encore?

– Si vous devez être absente toute la journée, demain, madame...

– Et probablement le jour suivant.

– Cela vous ennuierait-il que je prenne ma journée?

– Non, bien sûr.

– Elizabeth est couverte de boutons et nous pensons qu'elle couve la varicelle.

Elizabeth était la benjamine des enfants d'Albert.

– Milly désire naturellement que vous restiez avec elle.

La famille du fidèle serviteur habitait une petite

maison coquette située à quelques pas de celle des Beresford.

– Ce n'est pas tellement cela; Milly aimerait mieux que je reste à l'écart. Je pourrais profiter de l'occasion pour emmener les autres enfants à la campagne pour la journée.

– C'est une très bonne idée.

Un vague souvenir prit brusquement forme dans l'esprit de Tuppence. Quel rapport y avait-il entre la varicelle et la maison près du canal? Mais naturellement!... Anthéa, sa filleule, lui avait téléphoné. Sa fille, Jane, serait seule à l'école pour la distribution des prix car ses deux jeunes frères devaient garder le lit, ayant la varicelle. Tuppence s'était donc rendue à l'école en question et c'est dans le train, au retour, qu'elle vit la maison.

Tous les détails lui revenaient à présent, avec une précision étonnante. La robe à fleurs qu'elle portait, le magazine qu'elle lut avant de s'endormir. A son réveil, le train longeait un canal. A l'arrière plan, un rideau d'arbres inégal, quelques petits sentiers sinueux, une ferme dans le lointain...

Le train avait ralenti, attendant probablement le changement d'un signal et s'était arrêté près d'un petit pont en dos d'âne qui enjambait le canal endormi. Sur la rive opposée se dressait une maison. Tout de suite, Tuppence estima qu'elle n'avait jamais vu une plus jolie maison, calme, sereine, enveloppée par les rayons rougeâtres du soleil couchant.

Alors que le train s'ébranlait à nouveau, la voyageuse s'était promis de repérer le lieu et d'y revenir.

Mais au cours des vingt minutes qui suivirent, toutes les gares que le train dépassait, semblaient abandonnées et anonymes. Vinrent ensuite des usines aux cheminées massives et noires, auxquelles succédèrent des rangées de maisons préfabriquées, remplacées bientôt par un paysage plat et triste.

C'est alors qu'elle s'était demandé si la maison n'avait pas été un rêve. De toute manière, il lui aurait été trop difficile de la retrouver. « Un jour, peut-être, je tomberai dessus par hasard », pensa-t-elle. Et elle l'avait oubliée jusqu'au moment où, apercevant le tableau, sa curiosité s'éveilla à nouveau.

Et maintenant, grâce à Albert, elle la revoyait, dans son cadre naturel.

Prenant un crayon, elle traça sur une grande carte la ligne de chemin de fer allant du nord de Medchester au sud-est de Market Basing, petite ville banale, mais importante gare de jonction et passant à l'ouest de Shaleborough.

Elle décida de se lever tôt le lendemain matin et de partir au volant de sa voiture. Elle se rendit dans sa chambre pour contempler à nouveau le petit tableau.

C'était bien la maison aperçue trois ans auparavant, celle-là, même qu'elle s'était promis de revoir et qu'elle retrouverait bientôt...

# DEUXIÈME PARTIE

# LA MAISON PRÈS DU CANAL

# VII

## UNE SORCIÈRE BIENFAISANTE

Avant de se mettre en route, Tuppence jeta un dernier coup d'œil sur le tableau, moins pour se le remémorer que pour bien s'en représenter l'angle d'approche que cette fois elle ne découvrirait pas de la fenêtre d'un train, mais de la vitre de sa voiture. Elle risquait, en effet, de rencontrer plusieurs ponts en dos d'âne, bien des canaux sinueux, endormis, et d'autres maisons identiques à celle qui l'intéressait. Toutefois, elle ne croyait pas trop à cette éventualité.

Bien que la toile fût signée, seule la première lettre du nom, un B, pouvait encore se deviner, le reste se fondant dans une tache sombre.

Prête à partir, Tuppence s'assura qu'elle emportait les guides et notes auxquels il lui faudrait se référer, ainsi qu'un petit sac de voyage.

Après s'être arrêtée à Medchester pour avaler un déjeuner hâtif, elle s'engagea sur une route secondaire longeant une voie ferrée qui traversait une campagne boisée.

La voyageuse constata, une fois de plus, que si la plupart des carrefours, en Angleterre, s'ornent de nombreux poteaux indicateurs aux noms compliqués, on ne sait par quelle bizarrerie machiavélique, ils ne vous dirigent jamais vers les lieux désignés.

Suivant une voie qui s'écartait brusquement des rails, Tuppence s'aventura dans un paysage inconnu; espérant apercevoir à chaque tournant le canal qu'elle cherchait, elle parvint à un croisement où elle choisit de poursuivre dans la direction de Farlingford. Au sortir de cette ville, elle se lança sur une longue avenue pour constater au bout de quelques milles, qu'elle se retrouvait presque à son point de départ. Elle commença à désespérer. Impossible de trouver sur le plan la moindre indication de canaux. Par hasard, elle repéra une ligne de chemin de fer qu'elle suivit jusqu'à Bees Field, Winterton et Farrell ST. Edmund. Là, elle découvrit une gare désaffectée, mais perdit presque aussitôt de vue la voie ferrée. « Si seulement, je pouvais trouver une chaussée qui longe le canal ou les rails » pensa-t-elle.

Au fur et à mesure que la matinée avançait, Tuppence sentait son courage l'abandonner. Vers midi, elle dépassa une ferme et la route, une fois encore, l'entraîna plus avant dans la campagne plate et sans horizon.

Complètement égarée, Tuppence s'obstinait, refusant de s'avouer vaincue. Elle s'arrêta un moment à un nouveau carrefour, orné d'un poteau rongé par les intempéries et décida à tout hasard de filer sur la gauche. Elle roula un bon moment avant d'atteindre une courbe où la route s'élargissait pour amorcer la montée d'une colline.

En descendant la pente abrupte, elle entendit un

écho plaintif semblable au sifflement d'un train asthmatique. C'était bien un train ! Il passa devant elle à faible allure, démasquant dans son sillage le canal qu'enjambait le petit pont en dos d'âne ! En surplomb, la maison aux murs roses semblait la narguer. Se glissant sous le viaduc qui supportait les rails, Tuppence remonta de l'autre côté la pente raide et roula lentement sur le pont étroit qui dominait l'enclos dont s'entourait la maison pour s'abriter des regards indiscrets.

Rangeant sa voiture le long de la route devenue caillouteuse, Tuppence retourna sur le pont d'où elle put observer l'intérieur de la propriété en toute quiétude. Sur la façade rose, se découpaient les taches vertes des volets, hermétiquement clos. L'ensemble respirait un air paisible et endormi qu'accentuait la douce lueur diffusée par un soleil hivernal.

La citadine nota encore qu'un champ en friche s'étendait à perte de vue en face de la propriété. Reprenant place au volant de son auto, elle roula lentement dans l'espoir de repérer une grille et, lorsqu'elle aperçut une petite porte en fer, elle alla s'y hausser sur la pointe des pieds afin d'inspecter les lieux. Au fond d'un jardin cultivé sans grand soin, l'arrière de la maison, offrait un aspect totalement différent de la façade. Pour commencer, les volets repoussés, révélaient de coquets rideaux aux fenêtres et une poubelle trop pleine se dressait près de l'entrée. Dans le jardin, un homme trapu aux cheveux blancs, bêchait à pelletées lentes et régulières. L'ensemble n'avait pas le moindre cachet d'originalité et n'aurait certainement jamais attiré l'attention d'un peintre. Une maison ordinaire, sans mystère ni attrait. Tuppence, perplexe, se demanda si elle ne ferait pas mieux de tourner le dos à ce pauvre décor et d'oublier le but de sa visite... Pourtant, après tout le mal qu'elle venait de se donner pour parvenir jusqu'ici devrait-elle renoncer?

Elle jeta un coup d'œil sur sa montre, pour constater qu'elle avait omis de la remonter. Entendant le bruit d'une porte qui s'ouvrait, Tuppence regarda à nouveau la maison et vit une femme déposer une bouteille vide sur le seuil. En se relevant, l'inconnue tourna la tête vers le portillon et aperçut la curieuse. Après une brève hésitation, elle s'avança et Tuppence, distinguant mieux ses traits, se dit : « Quel visage sympathique... Ma foi, si c'est une sorcière, c'en est sûrement une bonne ! »

Celle qui approchait devait avoir dans les cinquante ans. Sa longue chevelure argentée flottait sur ses épaules, surmontée d'un cône en carton noir assez extravagant. Son visage, sillonné de rides, se terminait par un menton qui saillait tellement qu'il en rejoignait presque le nez crochu. Malgré sa physionomie sinistre, il se dégageait de l'inconnue un air de bonté infinie.

D'une voix timide et douce qui traînait un peu, cette extraordinaire créature demanda :

– Avez-vous besoin de quelque chose?

– Pardonnez ma curiosité, je désirais seulement admirer votre propriété.

– Voulez-vous faire le tour du jardin?

– C'est très aimable à vous, mais je ne voudrais pas vous importuner.

– Pas le moins du monde. J'ai tout d'abord cru que vous étiez une voyageuse égarée.

– Non, mais en arrivant par le petit pont, j'ai

trouvé votre maison si jolie que je n'ai pu résister au désir de venir l'admirer de plus près.

– L'autre façade a beaucoup de caractère et, à une certaine époque, plusieurs artistes sont venus la fixer sur la toile.

– Je crois, en effet, avoir remarqué l'un de ces tableaux à une exposition, il y a peu de temps.

– C'est fort possible. Un peintre découvre un sujet qui l'inspire et aussitôt d'autres arrivent avec leur attirail. Ils en donnent, bien sûr, des interprétations différentes, mais toutes aussi mauvaises, à mon avis. Entrez donc, je vous en prie.

– Vous avez un bien joli jardin.

– Nous cultivons quelques légumes et essayons d'acclimater plusieurs variétés de fleurs. Malheureusement, mon mari ne peut plus beaucoup travailler et moi, je n'ai pas le temps de lui donner un coup de main.

Impulsivement, Tuppence confia à son aimable hôtesse :

– J'ai déjà aperçu cette maison, il y a trois ans, alors que je regagnais Londres par le train. On la distingue très bien de la ligne de chemin de fer et je me souviens m'être demandé, à l'époque, si je retomberais jamais sur le même décor.

– Et aujourd'hui, vous y arrivez, par hasard ! La vie nous réserve des surprises étonnantes, n'est-ce pas ?

Tuppence hocha la tête tout en remerciant le ciel d'avoir mis sur son chemin une personne aussi sympathique que cette étrange « sorcière ».

– Puisque la maison vous intéresse, peut-être aimeriez-vous la visiter ? Une partie du bâtiment a été construite récemment, cependant la charpente remonte à l'époque des rois Georges. Nous avons la jouissance de la moitié de la propriété.

– Vous voulez dire qu'elle a été divisée en deux?

– Exactement. Nous occupons toute cette façade, mais aucune des pièces donnant sur le canal et le pont. Je me dis souvent que c'est une curieuse façon de partager une maison que de la séparer en deux dans sa longueur.

– Vous habitez ici depuis longtemps?

– Trois ans. Lorsque mon mari a pris sa retraite, nous nous sommes mis en quête d'un coin tranquille à la campagne, pas trop cher et le prix de cette location, dû à l'éloignement de toute agglomération, nous a tentés.

– J'ai remarqué un clocher dans le lointain...

– Celui de Sutton Chancellor, sans doute. Un petit village situé à deux milles d'ici. Nous relevons de la paroisse mais à part la nôtre, il n'existe aucune autre habitation isolée alentour... Vous prendrez bien une tasse de thé? J'ai justement mis la bouilloire sur le gaz avant de sortir. Mettant ses mains en porte-voix, elle appela: Amos! Amos!...

Le colosse, occupé au fond du jardin, tourna la tête dans leur direction.

– Le thé sera prêt dans dix minutes!

L'interpellé fit un signe d'assentiment et sa femme guida la visiteuse vers la porte. S'immobilisant sur le seuil, elle annonça:

– Au fait, j'ai oublié de me présenter. Mon nom est Perry, Alice Perry.

– Et le mien Mrs Beresford.

– Venez, Mrs Beresford, je vais vous montrer notre logis.

Sur le point de pénétrer dans le hall mal éclairé, Tuppence fut assaillie par une étrange pensée : « Je suis comme Hansel et Gretel que la sorcière invita à l'intérieur d'une maison en pain d'épices... »

Elle fixa Alice Perry sans trouver la moindre ressemblance entre elle et la sorcière du conte. Et pourtant, malgré son air affable, son hôtesse ne l'aurait pas étonnée si elle s'était brusquement mise à jeter des sorts, des sorts favorables, bien entendu.

Le passage, sombre et étroit, à gauche de la porte, donnait sur une cuisine spacieuse à laquelle succédait une sorte de salle commune. L'ensemble, propret et banal, composait sans doute la partie du rez-de-chaussée, rajoutée à la bâtisse originale dont avait fait mention Mrs Perry et datait de l'époque « victorienne ». Tuppence devait admettre que le propriétaire avait eu une drôle d'idée de partager sa maison dans le sens de sa longueur.

– Asseyez-vous, Mrs Beresford, je prépare le thé.

– Me permettez-vous de vous aider?

– Tout est prêt. Je n'ai qu'à verser l'eau bouillante dans la théière.

Elle disparut dans la cuisine et revint presque aussitôt, chargée d'un plateau où une assiette de « scones » et un pot de confiture voisinaient avec les tasses et la théière.

Déposant son fardeau, Mrs Perry observa :

– A présent que vous êtes dans la maison, j'imagine que vous éprouvez une certaine déception.

Tuppence protesta mollement et son hôtesse renchérit :

– Vous savez, les deux côtés de la maison ne se ressemblent absolument pas. Notez que nous ne nous plaignons pas. Nous sommes confortablement installés ici, et bien que ce soit un peu petit et mal exposé, le prix du loyer nous convient.

– Pour quelle raison, la maison est-elle ainsi divisée ?

– La division a dû avoir lieu, il y a longtemps, à mon avis. Le propriétaire a sans doute jugé l'ensemble trop important. Il s'est gardé les meilleures pièces, le salon, la salle à manger et deux chambres à l'étage avec salle de bains attenante et a fait transformer une petite bibliothèque en cuisine. Il paraît qu'il venait pour les week-ends.

– Et maintenant, qui occupe son logement ? Des estivants ?

– Non, personne ne vient plus. Reprenez donc un scone, ma chère.

– Merci.

– En tout cas, personne n'y est venu au cours des deux dernières années. Je ne sais même pas à qui appartient la propriété à l'heure actuelle.

– Qui vivait dans l'autre logement, lorsque vous avez emménagé ?

– Une jeune femme : une actrice, à ce qu'il paraît. Nous ne lui avons jamais adressé la parole, bien que nous ayons eu quelquefois l'occasion de l'apercevoir. Elle arrivait le samedi soir, tard, probablement après sa représentation, et repartait le dimanche, tard aussi.

Tuppence avança, d'un ton neutre :

– Une personne plutôt mystérieuse, en somme ?

– C'est exactement ce que je me suis toujours dit. Souvent, je m'amusais à broder des hypothèses sur son compte, par exemple qu'elle était peut-être comme Greta Garbo qui dissimulait son visage sous un chapeau à larges bords et... En voulant dépeindre la coiffure de la célèbre actrice, sa main rencontra le cône noir qu'elle portait... Oh !... que je suis bête ! J'ai encore mon couvre-chef. – En riant, elle retira l'étrange cône. – C'est pour une pièce qui doit prochainement être jouée dans la salle des fêtes de Sutton Chancellor. Nous interprétons un conte de fée, et je joue le rôle d'une sorcière.

Légèrement interloquée, Tuppence ne put que remarquer :

– Cela doit être très amusant.

– Je suis ravie et... je serai bien dans mon personnage, vous ne trouvez pas ? – Futée, elle désigna son menton. – J'ai le visage qu'il faut, néanmoins, j'espère que les spectateurs n'en seront pas trop convaincus, sinon ils pourraient bien s'imaginer que j'ai le mauvais œil, hein ?

– J'en doute, car vous ne pourriez être qu'une sorcière bienveillante. Pardonnez ma franchise...

– Pas du tout, je préfère cela. Pour en revenir à cette actrice... j'ai complètement oublié son nom... Miss... Miss Marchment, il me semble... enfin bref, vous ne croiriez jamais tout ce que j'inventais sur son compte. Et dire que je ne l'ai presque jamais vue ! Après tout, il est possible qu'elle n'ait été qu'une personne de nature timide. Je la voyais, harcelée par des centaines de reporters qu'elle refusait toujours de voir et même – mais là, vous allez sans doute me juger stupide – j'allais jusqu'à lui attribuer une personnalité louche, voire sinistre. Elle aurait pu se donner des airs d'artiste jalouse de sa vie privée et être en fait une criminelle recherchée par la police. Il est tellement facile, lorsque l'on vit à l'écart comme nous, de laisser courir son imagination.

– Cette femme venait toujours seule?

– Je ne saurais l'affirmer, toutefois les cloisons de séparation étant assez minces, il nous est arrivé de surprendre des échos de conversations. Nous en avons, bien sûr, déduit qu'elle amenait, de temps à autre, un homme avec elle, mais nous ne l'avons jamais vue accompagnée. C'est peut-être pour le rencontrer en secret qu'elle avait choisi cet endroit?

– Il devait alors s'agir d'un homme marié, enchaîna Tuppence, prise au jeu.

– Sans aucun doute.

– A moins que ce ne soit son mari qui, ayant l'intention de se débarrasser d'elle et jugeant le coin assez isolé, aura mis son plan à exécution, enterrant ensuite sa victime dans le jardin.

– Seigneur! Voilà qui ne me serait jamais venu à l'esprit!

– Il doit être possible de découvrir ce qu'il est advenu d'elle? Quelqu'un devait la connaître, au moins de nom. Ne serait-ce que les agents immobiliers, par l'intermédiaire desquels elle a obtenu cette location?

– Je n'en doute pas, mais... ma foi, je préfère croire à mes rêves car l'histoire de cette femme est probablement très banale.

– Je vous comprends.

– Dans cette maison règne une certaine atmosphère, vous savez. J'ai parfois l'impression qu'à une époque ou à une autre, elle a été le théâtre d'une tragédie.

– La mystérieuse locataire dont vous me parliez

n'avait pas de domestique ou de femme de ménage venue du village?

– Nous sommes trop éloignés de Sutton Chancellor pour que quiconque se soucie de venir jusqu'à nous.

Dans leur dos, une porte fut ouverte et refermée. Dans la cuisine, l'eau coula et un moment plus tard, la large carrure d'Amos Perry s'encadrait sur le seuil du salon. Un homme grand et fort, aux bras musclés et aux mains énormes.

Se tournant vers lui, sa femme annonça :

– Ah ! voici mon mari. Amos, nous avons une visiteuse, Mrs Beresford.

– Heureux de faire votre connaissance, Mrs Beresford.

Cet homme taillé dans le roc s'exprimait d'une voix douce et plaisante et cependant, notant l'expression légèrement hébétée de son regard, Tuppence se demanda si Mrs Perry n'aurait pas cherché à habiter la campagne à cause d'une certaine instabilité dont souffrait son mari.

Ils échangèrent des phrases banales et la maîtresse de maison qui surveillait attentivement son époux, cherchait à orienter la conversation de manière à l'encourager comme l'aurait fait une mère avec son enfant, en présence d'un visiteur.

Après le thé, Tuppence se leva pour prendre congé. L'imitant, le colosse proposa :

– Vous viendrez bien voir mon parterre avant de reprendre la route?

Elle accepta et le suivit jusqu'au carré de terre qu'il bêchait et auquel succédaient quelques rangées de fleurs.

– J'aime beaucoup mes roses... Regardez là-bas... j'en ai une rouge et blanche.

– Une « Commandant Beaurepaire », n'est-ce pas?

– Par ici, on l'appelle « York is Lancaster ». Tenez, sentez son parfum.

– Merveilleux.

– Je préfère les variétés classiques aux espèces bâtardes que l'on produit à l'heure actuelle.

En fait, l'ensemble n'offrait aucune harmonie. Au milieu des mauvaises herbes vigoureuses, se dressaient quelques tiges soutenues par des tuteurs et ficelées en bouquets serrés, espacés en rangées régulières.

Perry reprit :

– Je suis content que vous soyez venue. L'été, beaucoup d'estivants admirent mes fleurs.

– Votre jardin et votre maison sont très jolis.

– L'autre façade est bien mieux. Vous devriez y jeter un coup d'œil.

– Est-elle à louer ou à vendre? Votre femme m'a confié que personne ne l'habitait pour le moment.

– Nous ne voyons jamais de locataires et il n'y a pas de panneau indiquant qu'une agence s'en occupe.

– L'intérieur doit être plaisant.

– Vous cherchez donc une maison?

– Oui, mentit Tuppence qui ajouta sans se démonter : mon mari doit prendre sa retraite l'année prochaine, et nous commençons à prospecter la campagne en vue de découvrir un coin tranquille.

– Si vous aimez la solitude, vous ne pouviez mieux tomber.

– J'ai envie de m'adresser aux agents immobiliers

locaux. C'est par eux que vous avez trouvé cette location?

– En effet. Ils avaient passé une annonce dans le journal.

– Sont-ils installés à Sutton Chancellor?

– A Market Basing. Leur nom est Russel & Thompson. Vous pourriez toujours leur demander des renseignements sur la maison.

– Bonne idée. Sommes-nous loin de Market Basing?

– Neuf milles et à deux de Sutton Chancellor. La route est bonne entre les deux localités, mais d'ici au village, il n'y a qu'un chemin caillouteux.

– Je me débrouillerai.

Elle le remercia et, prenant congé de lui, lui tournait le dos lorsque la main du colosse se posa lourdement sur son bras, la clouant sur place.

– Attendez, Mrs Beresford. – Il se baissa pour couper une énorme pivoine qu'il piqua dans la boutonnière de son manteau. – Voilà... Cette couleur vous va bien.

Il la contempla en souriant. Au fond d'elle-même, Tuppence sentit une terreur incontrôlable lui glacer le dos. « Si j'étais jeune, je me garderais de le rencontrer seule », se dit-elle.

Elle le remercia un peu sèchement et hâta le pas vers le sentier qui menait au portillon. En passant devant la maison, dont la porte était restée ouverte, elle ne put résister au plaisir d'aller remercier encore une fois, son hôtesse. Mrs Perry lavait les tasses dans la cuisine et d'un geste machinal, Tuppence saisit un torchon et commença à essuyer la vaisselle.

Une série de grattements et de cris étouffés les

figea soudain, mais Mrs Perry, indiquant le mur sur lequel traînait la marque laissée par un tuyau de poêle, expliqua :

– C'est sans doute un choucas qui est tombé dans la cheminée du salon d'à côté. Ils plantent leur nid autour de l'orifice et à cette époque de l'année, beaucoup font une chute accidentelle.

– Vous croyez qu'il ne pourra pas remonter?

– Sûrement pas, car la cheminée n'a pas été nettoyée depuis longtemps. Il va mourir asphyxié, le pauvre.

Mr Perry, passant la tête dans l'entre-bâillement de la porte, surprit les deux femmes qui se regardaient désolées.

– Que se passe-t-il?

– Un oiseau vient de tomber dans la cheminée d'à côté, Amos. Vous l'entendez se débattre?

– Qu'y pouvons-nous? Même si nous essayions de l'approcher, il mourrait de peur.

– Combien de temps va-t-il se démener ainsi? Je ne pourrai supporter de l'entendre longtemps.

Perry les observa l'une et l'autre et soupira :

– Vous autres, les femmes, vous êtes d'une sensibilité incroyable. Allons, on va tenter de lui rendre sa liberté à cet oiseau.

– Mais par où entrerez-vous?

– La petite porte qui est dans le débarras, pardi ! Les clés sont accrochées au tableau, juste à l'entrée.

Elles le suivirent à l'extérieur et longèrent la maison à l'angle de laquelle Amos poussa une porte et traversa une pièce mal éclairée pour s'arrêter devant un tableau chargé de clés de différentes dimensions.

Il en choisit une, toute rouillée, qu'il introduisit dans la serrure d'un panneau boisé et après mille tentatives et efforts, le pène consentit à jouer.

Se tournant vers les deux spectatrices, Perry expliqua :

– Je suis déjà entré une fois, il y a longtemps. Quelqu'un avait laissé un robinet mal fermé et j'ai pu ainsi éviter une inondation.

Ils pénétrèrent dans un espace étroit ne comprenant que quelques étagères, une table en bois blanc et un évier où traînaient des vases à fleurs vides.

– On devait venir arranger les fleurs ici, pour la décoration des autres pièces, observa le guide.

De là, partait un couloir recouvert d'un tapis épais au bout duquel, d'une porte entre-bâillée, s'échappaient les cris aigus d'un oiseau affolé. Perry poussa le battant et les deux femmes s'arrêtèrent sur le seuil.

Des volets mal joints, filtrait suffisamment de lumière pour éclairer le tapis aux couleurs passées, mais encore très belles, l'étagère à livres immense et les doubles rideaux de velours. Le reste des meubles avait dû être enfermé sous clé par le propriétaire.

Mrs Perry s'avança vers la cheminée. Dans le foyer, un jeune choucas se débattait, les ailes empêtrées dans des débris de toutes sortes. S'accroupissant, elle le prit doucement et demanda à son mari d'ouvrir un volet.

Le colosse réussit, non sans mal, à faire jouer le panneau de bois sur ses gonds et son épouse, se penchant au dehors, libéra l'oiseau qui se laissa tomber sur la pelouse où il sautilla maladroitement.

– Il vaudrait mieux le tuer, remarqua Perry. Il a dû se briser les ailes.

– Attendez un peu, Amos. Il a tellement eu peur, il se remettra peut-être dans un moment.

En effet, après quelques battements d'ailes, cris et tentatives inhabiles, le choucas s'envola et disparut.

– J'espère qu'il ne retombera plus dans cette cheminée. Les oiseaux sont étranges, ils ne sentent pas par instinct où est le danger. Regardez-moi ce désordre !

Ils fixèrent le foyer plein de suie, de plâtre et de briques cassées.

– Il serait temps que quelqu'un vienne habiter ici.

– Le propriétaire n'envoie donc jamais de maçon vérifier l'état des murs et de la cheminée?

– Pensez-vous! A voir ces marques au plafond, je parierais que quelques tuiles manquent sur le toit.

– Quel dommage de laisser une si belle maison s'abîmer ainsi. Cette pièce est superbe.

– Mais presque dans un état irréparable, affirma Perry.

Retournant près de l'âtre, Tuppence fouilla du pied l'amas de saletés. Elle poussa soudain une exclamation de dégoût en découvrant deux oiseaux morts.

Perry se pencha et hochant la tête :

– C'est le reste du nid qui est tombé, il y a deux semaines.

– Qu'est-ce que c'est?

Se penchant à son tour, Tuppence tira un objet qui, à sa grande surprise, se révéla être une poupée. Déchirée, la tête pendante, un œil arraché, elle offrait un triste spectacle.

– Je me demande comment elle a pu venir dans cette cheminée...

# SUTTON CHANCELLOR

Ayant pris congé du couple, Tuppence Beresford regagna sa voiture et roula sur la voie caillouteuse qui devait la mener au village. Un chemin isolé, que ne bordait pas la moindre habitation, seulement des champs entourés de haies, fermés par des barrières posées sans symétrie et d'où partaient les sillons bourbeux laissés par quelque véhicule lourd. La conductrice ne croisa qu'un tracteur et une camionnette qui faisait la réclame d'un pain soi-disant incomparable. Le clocher, aperçu au loin, semblait s'être volatilisé quand il se dressa soudain devant la voyageuse après un tournant à angle droit où la route se débarrassait brusquement de son rempart d'arbustes hauts et touffus. Consultant son tableau de bord, Tuppence calcula qu'elle venait de parcourir deux milles à travers la campagne.

Le clocher surmontait une église ancienne et charmante qui tenait compagnie à un vieil if au milieu d'un cimetière carré assez important.

Abandonnant son volant, Tuppence passa le porche surmonté d'un appentis et examina le décor avant de se diriger vers le portail normand dont elle poussa la petite porte. L'intérieur décevait. L'architecture, bien que très ancienne, avait souffert de certaines restaurations durant l'époque « victorienne ». Les bancs de sapin blanc, les vitraux aux tons criards et les murs couverts de chaux ne rendaient pas l'atmosphère que l'on pouvait espérer trouver dans une vieille église de campagne. Une femme, d'âge indéfinissable, vêtue d'un ensemble de tweed, arrangeait des fleurs dans de lourds vases de bronze autour de la chaire. L'autel portait traces de son passage. Entendant des pas, elle suspendit un instant sa tâche pour tourner vers l'inconnue un regard inquisiteur. Remontant la nef, Tuppence déchiffra les plaques commémoratives posées çà et là. Une certaine famille Warrender, du Prieuré, Sutton Chancellor, semblait avoir bien été représentée, au cours du siècle dernier : capitaine Warrender, chef d'escadron Warrender, Sarah Elizabeth Warrender épouse bien-aimée de George Warrender... Une plaque plus récente mentionnant la mort de Julia Starke, épouse bien-aimée de Philip Starke – du Prieuré aussi – semblait prouver que les Warrender n'avaient plus de descendants. Ne trouvant dans tout cela rien d'intéressant, Mrs Beresford ressortit et contourna l'édifice qui lui plaisait beaucoup. L'importante structure qui semblait avoir été conçue pour une nombreuse communauté, donna à Tuppence l'idée qu'à une certaine époque Sutton Chancellor avait dû être une agglomération considérable. En flânant, la citadine traversa la rue principale du village qui ne comptait qu'une sorte de bazar, une porte et une douzaine de petites maisons ou villas. Un ou deux toits de chaume charmaient la vue, mais le reste décevait par son caractère anonyme et plat. Au fond de la rue, une rangée de bâtisses préfabriquées, indépendantes et légèrement prétentieuses. Une porte arborait une plaque de cuivre avec l'inscription « Arthur Thomas, ramoneur ». Tuppence se demanda si une agence de location viendrait jamais solliciter les services de ce monsieur pour la maison du canal qui avait certainement besoin de soins. Elle aurait dû demander aux Perry le nom qu'on donnait à cette demeure.

Regagnant sa voiture sans se presser, Tuppence ne put résister au plaisir de faire le tour du cimetière où se dressaient de vieilles pierres tombales à demi brisées et couvertes de mousse. Çà et là se découpaient quelques sépultures modernes. Les plus anciennes s'enjolivaient de chérubins tenant une couronne, de gracieuses colombes posées là comme par hasard, d'inscriptions pieuses ou de poèmes touchants, près de portraits jaunis... A l'écart s'alignaient les tombes des Warrender. Mary morte à 47 ans, Alice à 33, le colonel John Warrender tué en Afghanistan et plusieurs enfants. Bien que les dates s'arrêtassent à 1843, la visiteuse se demanda si quelques descendants existaient encore. Contournant le grand if, elle tomba brusquement sur un pasteur apparemment très âgé, penché sur une rangée de pierres tombales qui ne tenaient encore debout que grâce au support que leur offrait le mur d'enceinte. Le vieil ecclésiastique ne semblait guère plus solide qu'elles, perclus de rhumatismes qui déformaient ses membres et ralentissaient ses gestes. Se redressant avec peine, il aperçut la visiteuse et lui adressa un gracieux salut.

Répondant à son geste courtois, Tuppence dit :

– Je viens de visiter l'église.

Hochant tristement la tête, le clergyman soupira :

– Sabotée par la restauration victorienne. A

l'époque il y avait trop d'argent à dépenser, trop de maîtres-de-forges qui, bien que très pieux, ne possédaient aucun sens artistique. Avez-vous remarqué le vitrail central?

– Je l'ai trouvé très laid.

– Eh oui!... – Après un court silence, il annonça, fort inutilement d'ailleurs. – Je suis le vicaire (1).

– Êtes-vous à Sutton Chancellor depuis longtemps?

– Dix ans, mon enfant. C'est une bonne paroisse et les ouailles, pour ce qu'il en reste, sont pieuses. On n'apprécie pas beaucoup mes services, néanmoins... Je fais de mon mieux mais il est vrai que je ne saurais prétendre avoir des idées très modernes. Asseyez-vous donc, offrit-il complaisamment, en indiquant une pierre tombale.

Alors qu'ils prenaient place sur leurs sièges de fortune, le pasteur confessa :

– Je ne puis plus guère rester debout... Êtes-vous venue me consulter ou ne faites-vous que passer?

– Je me suis égarée dans la campagne avec ma voiture et en apercevant votre église, j'ai éprouvé le désir de la voir de plus près.

– La région est assez sauvage et il est facile de s'y perdre. La municipalité ne remplace jamais les poteaux indicateurs. Il est vrai que cela importe peu, puisque ceux qui s'aventurent dans nos chemins ne cherchent pas à s'éloigner du village. les touristes ne s'écartent pas des voies principales. L'autoroute construite récemment est hallucinante... Des centaines de

(1) Vicaire - Dans l'Église anglicane, ecclésiastique préposé à l'administration d'une paroisse et titulaire du bénéfice mais non de la dîme réservée au curé.

véhicules! la vitesse! le bruit!... terrifiant! Ne m'écoutez pas trop, je suis un vieil homme aux opinions surannées. Vous ne devinerez jamais ce à quoi j'étais occupé à votre arrivée?

– J'ai remarqué que vous inspectiez ces pierres tombales. Craignez-vous quelque vandalisme de la part de jeunes voyous?

– De nos jours, cela n'aurait rien de surprenant. Cette pauvre jeunesse ne sait qu'inventer pour se distraire. Mais non, rassurez-vous, ils n'ont rien abîmé ici. Au vrai, je cherche la tombe d'un enfant.

Tuppence fixa le vieillard.

– La tombe d'un enfant?

– Parfaitement. Un certain commandant Waters m'écrit pour savoir si une petite fille a été enterrée dans ma paroisse. J'ai tout de suite consulté le registre des décès et n'y ai pas trouvé le nom indiqué. Par acquit de conscience, je vais examiner les inscriptions tombales mais je pense que cet homme ne m'a pas donné le nom exact de l'enfant.

– Quel prénom vous donne-t-il?

– Il n'en est pas sûr, mais il pense qu'elle portait celui de la mère, Julia.

– Et quel âge avait-elle?

– Là encore, il n'affirme rien. Toute l'histoire me paraît bien vague et je suis enclin à croire que le commandant Waters a confondu notre paroisse avec une autre. Je ne me souviens pas avoir jamais connu de Waters ou même d'avoir entendu mes paroissiens faire allusion à un parent de ce nom.

– Pourrait-il s'agir d'un allié des Warrender? J'ai noté un grand nombre de plaques commémoratives à ce nom?

– Non, ma fille, car cette famille a complètement disparu. Elle possédait une merveilleuse propriété, un ancien Prieuré datant du XIVe siècle qui a été complètement détruit dans un incendie, le siècle dernier. J'imagine que s'il reste des survivants, ils ont définitivement quitté la région. Une maison a été construite sur le même emplacement par un homme très riche du nom de Starke. La construction est laide mais confortable, à ce qu'il paraît. On raconte qu'il y a plusieurs salles de bains et tout le confort, bien que pour ma part, je trouve tout cela superflu.

– Cette requête touchant l'enfant... est plutôt curieuse. Le commandant vous dit-il s'il est parent de la petite disparue?

– Son père, à ce qu'il me semble, et j'en déduis que c'est encore une de ces tragédies de la guerre. La femme s'enfuit avec un autre homme pendant que le mari sert son pays sur un sol étranger. Seulement, il y a un enfant, un enfant que le père n'a jamais vu. A l'heure actuelle, cette petite fille – si elle existe – doit être adulte, le drame – si drame il y a – devant remonter à vingt ans ou plus.

– Il a attendu bien longtemps avant d'entreprendre ces démarches?

– Il déclare que ce n'est que récemment qu'il a eu connaissance de son existence et de sa mort.

– Qu'est-ce qui le pousse à croire que la tombe est dans ce cimetière?

– Je pense que quelqu'un qui a connu sa femme durant la guerre, lui aura appris qu'à l'époque, elle habitait Sutton Chancellor. Ce genre de coïncidence se rencontre encore. Vous tombez sur un ami ou une vague connaissance perdue de vue depuis des années et elle vous révèle certains faits que, sans elle, vous n'auriez jamais découverts. En tout cas, depuis que je suis ici, il n'y a pas eu, dans la paroisse, de femme du nom de Waters. Il est vrai qu'elle aurait pu porter un pseudonyme. Le père m'apprend, par ailleurs, qu'il s'est adressé à des notaires et des détectives privés. Je ne doute pas que, tôt ou tard, il retrouvera la tombe de l'enfant. Cela prendra sans doute longtemps...

– *Était-ce votre pauvre enfant ?*

– Je vous demande pardon?

– Je viens juste de me remémorer une remarque que l'on m'a faite récemment. Une question assez déroutante, je l'avoue et je doute que la vieille dame qui me l'a posée, ait réalisé vraiment la portée de ses paroles.

– Impulsion dont je souffre moi-même. Je me livre souvent à des commentaires sans savoir exactement ce que je veux dire. C'est bien vexant.

Après une pause, Tuppence demanda :

– Vous connaissez sans doute tous vos paroissiens?

– Il m'en reste si peu que ce n'est pas difficile.

– Savez-vous si une certaine Mrs Lancaster a jamais habité la localité?

– Lancaster? Ma foi, le nom ne me dit rien.

– Il peut y avoir un lien entre cette personne et une maison située non loin d'ici. En venant, j'ai emprunté plusieurs chemins au hasard...

– Nos chemins sont très jolis et pleins de fleurs sauvages assez rares. Personne ne s'intéresse plus à la botanique et c'est dommage. J'ai eu l'occasion de cueillir...

N'ayant pas l'intension de se laisser entraîner dans une conversation sur la botanique, Tuppence coupa vivement :.

– Cette maison dont je vous parlais est à peu près à deux milles d'ici et voisine d'un petit pont en dos d'âne et d'un canal.

– Un canal et un pont... Ma foi, plusieurs maisons sont ainsi situées. Par exemple la ferme Merricot.

– Ce n'est pas une ferme.

– Ah?... Peut-être s'agit-il alors de la maison d'Amos et Alice Perry?

– C'est cela!

– Alice Perry a un visage extraordinaire... médiéval à mon avis. Elle doit jouer le rôle d'une sorcière dans la pièce que nous préparons pour les enfants et je dois avouer qu'elle a tout à fait le physique de l'emploi.

– Une sorcière bienfaisante.

– C'est exact.

– Mais lui...

– Lui, le pauvre, il n'est pas complètement sain d'esprit, sans pour cela être dangereux.

– Ils se sont montrés tous deux charmants envers moi m'invitant à prendre le thé, me faisant visiter les lieux. Ce que j'aimerais savoir, c'est le nom de la maison et j'ai oublié de le leur demander. Ils n'occupent que la moitié de l'immeuble, m'ont-ils appris.

– En effet, c'est la partie où étaient installés à l'origine, les cuisines et les logements des domestiques. La propriété s'appelle « Waterside » mais ses premiers maîtres l'avaient baptisée « Watermead ». Un joli nom.

– A qui appartient la façade donnant sur le canal?

– Il y a trente ou quarante ans, il s'agissait des Bradley, mais depuis, elle a changé deux fois de mains et est restée ensuite longtemps inoccupée. Autant que je me souvienne, lorsque je suis venu m'installer ici, elle servait de pied-à-terre à une actrice... Miss Margrave, il me semble. Elle ne venait pas souvent : un week-end, de-ci, de-là. Elle n'a jamais fréquenté mon église. Il m'est arrivé de l'apercevoir de loin. Une très belle personne.

– Et aujourd'hui?

– Je l'ignore. Peut-être la maison appartient-elle encore à cette actrice? Les Perry ne sont que locataires de la partie où ils logent.

– J'ai reconnu le site au premier coup d'œil car je possède un tableau représentant la maison et son décor.

– Vraiment? Ce doit être un travail de Boscombe... Boscombe ou Boscobel, je ne me rappelle plus très bien. C'est un Cornouaillais assez connu. Il est probablement mort à l'heure actuelle. Il venait fréquemment dans la région pour prendre des croquis.

– Ce tableau m'a été laissé par une vieille tante qui vient de mourir et qui le tenait de cette Mrs Lancaster dont je vous parlais.

– Lancaster... Lancaster... Je regrette, ce nom ne me rappelle rien. Oh ! mais, voici justement la seule personne susceptible de vous renseigner : Nellie Bligh, l'indispensable Miss Bligh. Elle est au courant de tout ce qu'il se passe dans la paroisse, elle dirige le Cercle des paroissiennes, organise les réunions des boy-scouts et éclaireurs... bref, elle régente tout. Une personne très, très active.

Miss Bligh, en qui Tuppence reconnut la bénévole fleuriste rencontrée plus tôt dans l'église, approchait à pas rapides, un petit arrosoir en main. Dardant sur la visiteuse son regard fouineur, elle pressa le pas et avant même de parvenir à leur hauteur, annonça à l'adresse du pasteur :

– Mon travail est terminé. Je me suis dépêchée. J'aurais dû m'occuper des fleurs ce matin, mais notre réunion impromptue m'a retenue plus que je ne l'aurais souhaité. Ces séances entraînent des discussions à n'en plus finir. Je me demande parfois si les gens ne font pas des histoires par pur esprit de contradiction. Mrs Partington s'est montrée particulièrement désagréable, chicanant sur chaque centime de notre liste de commandes pour la fête. Pardonnez-moi, monsieur le Vicaire, mais, à mon avis, vous ne devriez pas vous asseoir sur ces pierres tombales.

Confus, le pasteur s'enquit :

– Vous pensez que c'est irrévérencieux ?

– Pas du tout. Je pensais plutôt à vos rhumatismes... Elle regarda Tuppence et se tut.

– Oh !... permettez-moi de vous présenter. Miss Bligh, Mrs... Mrs...

– Beresford.

– Enchantée, Mrs Beresford. Je vous ai aperçue dans l'église et je serais bien venue vous accueillir pour attirer votre attention sur quelques détails particulièrement intéressants, mais j'étais vraiment trop occupée.

Lui décochant son plus joli sourire, Tuppence minauda :

– C'est moi qui aurais dû vous offrir mon assistance. Je n'ai pas osé car j'ai bien vu que vous saviez arranger vos fleurs avec un goût parfait.

– Vous êtes très aimable, toutefois, je dois avouer que j'ai une grande expérience en la matière. Pensez donc, je m'occupe de la décoration de l'église depuis... Oh ! il y a tellement d'années, que je ne saurais dire. Pour les fêtes, nous laissons les enfants arranger eux-mêmes dans des vases les fleurs sauvages qu'ils cueillent, bien qu'ils ne sachent pas trop comment s'y prendre, les pauvres petits. Ils ont besoin d'être conseillés, guidés, hélas ! Mrs Peake refuse catégoriquement la moindre suggestion à ce sujet. Mrs Peake a des idées bien définies. A son avis, les conseils contrarient l'esprit d'initiative des petits. Avez-vous l'intention de rester longtemps à Sutton Chancellor, Mrs Beresford ?

– Je dois me rendre à Market Basing. Peut-être pourrirez-vous m'y recommander un hôtel ?

– Je crains que vous ne soyez déçue. Market Basing n'est qu'un gros bourg, le « Dragon Bleu » un hôtel à deux étoiles, mais cela ne signifie pas grand-chose. Vous trouverez probablement l' « Agneau » plus calme et tout aussi confortable. Demeurez-vous là-bas ?

– Seulement un jour ou deux, juste le temps de jeter un coup d'œil alentour.

– Il n'y a pas grand-chose à voir, intervint le pasteur. Pas d'antiquaires ni de ventes aux enchères. Ce comté est purement rural et agricole. Il a cependant l'avantage d'être un lieu de retraite idéal.

– J'ai justement l'intention de visiter quelques maisons à vendre.

Miss Bligh questionna aussitôt :

– Vous pensez vous fixer dans la région ?

– Nous n'avons pas encore décidé et nous ne sommes pas pressés, mon mari ne se retirant des affaires qu'à la fin de l'année prochaine. Je trouve qu'il est sage de s'y prendre à l'avance, pour se faire une idée générale des différents comtés. J'ai l'intention de vivre quatre ou cinq jours dans un coin et de visiter les petites propriétés à vendre. Faire le voyage aller et retour de Londres en une journée, serait trop fatigant.

– Je suis bien de votre avis. Vous avez donc une voiture?

– En effet. Demain matin, je dois me présenter à une agence immobilière de Market Basing. Pensez-vous que je pourrai trouver ici un gîte pour la nuit? Il est un peu tard pour m'aventurer à travers la campagne que je ne connais pas encore.

– Il y a bien Mrs Copleigh qui prend des locataires, l'été. Ses chambres sont toujours très propres et elle prépare les petits déjeuners et même un repas léger pour le soir. Malheureusement, je doute qu'elle reçoive des voyageurs avant le mois de juillet.

– Je pourrais tout de même aller la voir.

Le clergyman observa :

– Une femme très bien, quoiqu'elle soit une bavarde incorrigible.

– Allons, monsieur le Vicaire, tous les villages ont leurs commères... Je crois que je ferais bien d'accompagner Mrs Beresford jusque chez Mrs Copleigh pour m'assurer qu'elle accepte de l'héberger. Vous êtes d'accord, Mrs Beresford?

– Tout à fait. Je vous suis.

Avant de s'éloigner, la vieille fille demanda, en hochant la tête :

– Encore occupé par vos recherches, monsieur le pasteur? Une triste mission, et qui n'aboutira probablement à rien. Vous vous fatiguez trop.

Tuppence offrit aussitôt au vieillard de le relayer une heure ou deux le lendemain. Il la remercia, en précisant toutefois que sa tâche ne serait pas aisée. Il ne possédait aucun renseignement précis : la fillette étant morte vers sa septième année, quelque vingt ans plus tôt.

Miss Bligh coupa court à l'entretien et entraîna la Londonnienne qui dut écouter ses commentaires acides sur ses concitoyennes. La voyageuse en vint à se demander comment sa logeuse éventuelle avait pu acquérir la réputation de bavarde aux yeux du vieux pasteur.

Mrs Copleigh habitait une jolie maison dans la rue principale. Un jardin fleuri menait au perron blanc et sur la porte immaculée brillait la poignée de cuivre soigneusement astiquée.

Mrs Copleigh semblait sortir d'un livre de Dickens. Petite et potelée, elle se déplaçait avec une agilité étonnante pour sa corpulence, ses yeux pétillaient dans sa grosse figure qui respirait la bonne humeur. Elle hésita bien un peu à recevoir l'étrangère, pourtant après quelques faibles protestations, elle la pressa d'entrer.

Nellie Bligh les laissa avec regret – n'ayant pas eu le temps de découvrir qui était Mrs Beresford – mais il lui fallait présider à une nouvelle séance qui se tenait chez elle. En fait, elle craignait de surprendre ces dames en plein débat et peu soucieuses de son absence. Avant de s'en aller, elle tint à savoir ce qu'il adviendrait de la voiture de la voyageuse. Mrs Copleigh résolut aussitôt le problème : son mari irait récupérer le véhicule pour le ranger dans un vieux hangar à la limite de leur champ que l'on apercevait de la maison.

Restée seule avec son hôtesse, Tuppence lui demanda où elle pourrait aller, dans le village, pour se restaurer. La bonne dame protesta qu'une « public house » n'était pas un lieu recommandable pour une femme non accompagnée et lui offrit un frugal repas à sa table.

Enchantée, Tuppence monta voir sa chambre qui, bien que petite, lui plut beaucoup avec son papier peint fleuri, son lit confortable et ses meubles qui sentaient bon la cire. Elle complimenta la villageoise qui se lança aussitôt dans des détails d'ordre ménager. Lorsqu'elle se fut retirée pour permettre à la voyageuse de se reposer avant le dîner, Mrs Beresford pensa avec plaisir qu'il lui serait aisé d'obtenir auprès de Mrs Copleigh mille renseignements utiles. Par exemple, elle pourrait sûrement l'éclairer sur la maison près du canal, ses occupants successifs sans compter les ragots du village.

Mr Copleigh, contrairement à sa femme, était sobre de paroles et en règle générale, ne donnait son opinion qu'en poussant des grognements significatifs. Au cours de la soirée, il ne se mêla guère à la conversation des deux femmes, occupé, semblait-il, à dresser la liste de ce qu'il devrait acheter le lendemain, jour de marché.

Tuppence n'aurait pu mieux tomber et intérieurement, elle dota la maison Copleigh d'un slogan : « Si vous avez besoin d'un renseignement quelconque, adressez-vous ici. » Son hôtesse valait un poste de radio, ou de télévision. Il suffisait de mettre la machine en train pour qu'aussitôt un flot de paroles se déclenchât, accompagné de gestes et mimiques destinés à dépeindre les caractères auxquels la narratrice faisait allusion.

Le repas, très simple, se composa d'œufs au bacon, de fromage et d'une tartine de gelée de mûres, préparée avec soin par la maîtresse de maison. L'histoire de la petite commune occupa tout naturellement la conversation et l'investigatrice se força tant bien que mal à en retenir les moindres détails afin de prendre note par la suite des points susceptibles de faire progresser son enquête.

Mrs Copleigh se référait sans cesse au passé en négligeant l'ordre chronologique, sautant de cinquante ans en arrière au mois écoulé pour remonter, sur-le-champ, aux années qui suivirent la Première Guerre mondiale.

Elle dut avouer, cependant, qu'elle ne connaissait pas de Mrs Lancaster. En revanche, elle se souvenait parfaitement de l'artiste qui peignit la maison près du canal.

– Il s'appelait Boscowan et nous le voyions dans la région chaque été. Cela remonte à au moins quinze ans... Le coin lui plaisait. Il avait même loué un cottage qu'occupait un ouvrier agricole et sa famille. Le Conseil municipal en a fait construire un nouveau depuis pour ces gens-là. Mr Boscowan était un vrai artiste ayant une façon bien personnelle de s'habiller : une veste de velours aux coudes percés, des chemises vertes et jaunes. Je puis vous assurer qu'on le voyait de loin ! J'aimais bien ce qu'il faisait. On lui a préparé une exposition, vous savez. Juste avant Noël... Attendez ! non, ce ne pouvait pas être à cette époque de l'année, il ne venait jamais l'hiver... Enfin, bref, il a eu son exposition. Il ne peignait rien d'extraordinaire, remarquez : une maison avec deux arbres et une paire de vaches regardant par-dessus une barrière... L'ensemble était discret et harmonieux. Ce n'est pas ce qui plaît, à présent...

– Voyez-vous beaucoup d'artistes par ici?

– Pas tellement. Il y a bien deux femmes qui

passent l'été à faire des croquis de paysages, mais moi je pense qu'elles n'ont aucun talent. L'an dernier, on a aussi eu un jeune. Il voulait être pris pour un artiste, mais à part sa façon farfelue de porter ses cheveux en tête de loup, il ne nous a pas beaucoup impressionnés. Il bariolait ses toiles de couleurs incroyables, à grands coups de pouce. Nous n'avons jamais pu deviner ce qu'il cherchait à représenter. Et pourtant, il en a vendu pas mal et à des prix exorbitants !

– Ça ne valait pas plus de cinq livres la pièce, irronisa Mr Copleigh.

Son intervention dans la conversation fit sursauter Tuppence qui avait oublié son existence.

– Mon mari veut dire que ses tableaux ne lui coûtaient pas plus, en peinture et toile. Pas vrai, George ?

George poussa un grognement qui pouvait passer pour une approbation. Profitant d'un court silence, Tuppence annonça :

– Mr Boscowan a peint Waterside, la maison près du canal, m'avez-vous dit, je l'ai vue en venant, elle me plaît beaucoup.

– La route est mauvaise par là-bas et la maison y est trop isolée. Je n'aimerais pas l'habiter. N'est-ce pas, George ?

L'interpellé poussa un grognement ironique qui semblait condamner la poltronnerie des femmes mais son épouse enchaîna, sans se troubler :

– Les Perry y vivent toute l'année. Il est vrai qu'ils forment une drôle de paire, ces deux-là.

George approuva à sa façon :

– Ils restent dans leur coin et ne recherchent la

compagnie de personne. Alice Perry a une étrange personnalité.

– Elle est folle, lança Copleigh.

– Pas forcément. Il est vrai qu'elle a l'air un peu dérangée avec ses cheveux lui tombant sur les épaules, ses grosses bottes et son pardessus d'homme, courant la campagne par tous les temps. Si on lui adresse la parole, elle ne répond pas ou émet des opinions que personne ne comprend. Je n'irais tout de même pas jusqu'à soutenir qu'elle est folle... bizarre, rien de plus.

– A-t-elle des amies?

– Personne ne la connaît bien, et pourtant ils sont dans la région depuis pas mal de temps. On raconte un tas de choses sur son compte, mais dans les villages, les mauvaises langues vont bon train.

– Que raconte-t-on?

Les questions directes n'effarouchaient pas la grosse Mrs Copleigh qui expliqua aussitôt :

– On dit que la nuit, elle s'assied devant une table ronde et appelle les esprits. Certains affirment même avoir aperçu des lumières danser le soir autour de la propriété. On dit aussi qu'elle lit des livres savants couverts de signes et d'étoiles. Mais tout ça, c'est des bêtises. Moi, je crois que c'est lui qui n'est pas normal, et non elle.

– Il est juste un peu simple, coupa Copleigh avec indulgence.

– N'empêche qu'à une époque, des rumeurs pas très jolies circulaient sur son compte. Naturellement, je ne crois rien de tout cela.

– Ils n'occupent qu'une partie de la maison. Mrs Perry m'a invitée à prendre le thé, cet après-midi, et m'a montré son logement.

– Par exemple ! Je ne sais si cela m'aurait plu d'entrer à l'intérieur.

– Leur côté n'a rien qui cloche, intervint Copleigh.

– Et l'autre côté ?

Sa femme enchaîna :

– Ma foi, il fut un temps où l'on en parlait beaucoup et personne ne voulait plus l'habiter. On dit qu'il s'en dégage encore une atmosphère inquiétante et, bien que nul dans le village n'ait été témoin de ce qui s'y était passé, la maison en a gardé mauvaise réputation. Elle a été construite, il y a plus de cent ans et il paraîtrait qu'une belle dame y a été séquestrée par un seigneur !

– Du temps de la reine Victoria ?

– Je ne pense pas. La vieille reine ne l'aurait pas toléré avec ses mœurs sévères. Non, à mon avis, cela remonte au temps d'un des rois George. Bref, ce gentilhomme venait rendre visite à sa prisonnière et il semblerait qu'un soir, ils se soient disputés, et qu'il lui ait tranché la gorge.

– C'est affreux ! L'a-t-on pendu pour ce crime ?

– Oh ! non ! On pense qu'il s'est débarrassé du cadavre en le murant dans la cheminée principale.

– Dans la cheminée...

– Mais une autre version de l'histoire raconte qu'elle était une religieuse enfuie de son couvent, ce qui explique qu'elle serait murée dans la cheminée. Il paraît que c'est la coutume dans les couvents.

– Ce sont les religieuses qui l'ont murée ?

– Non, le seigneur. Il a creusé une partie de la hotte et bouché le trou avec une plaque de fer. Vrai ou pas vrai, la pauvre fille a, paraît-il, complètement disparu du jour au lendemain. Il y en a qui jurent avoir entendu dire qu'elle avait quitté le pays avec son amant pour aller vivre ailleurs. Depuis ce temps-là, on entend du bruit et on voit des lumières autour de la maison, à ce qu'on raconte.

Tuppence, qui désirait en savoir davantage, mais sur une époque plus récente, pressa la narratrice de continuer.

– Après, ma foi, la demeure a été mise en vente. Les acheteurs ont été longs à se décider. Finalement, un fermier du nom de Blodgick l'a acquise. Il n'a pas tardé à se rendre compte que le terrain ne valait pas grand-chose et il a remis la propriété sur le marché. On peut dire que cette maison en a vu se succéder des nouvelles têtes ! Chaque fois, les entrepreneurs y apportaient des améliorations. Je crois savoir qu'un jeune couple y a tenté l'élevage des poulets et a pris la fuite en criant que l'endroit portait malheur. Il me semble bien que Mr Boscowan lui-même a essayé de l'acquérir, à un moment donné, à l'époque où il l'a peinte, d'ailleurs.

– Quel âge avait-il, alors ?

– Dans les quarante ans. Un bel homme, quoiqu'un peu corpulent. Il avait beaucoup de succès auprès des filles.

Copleigh poussa un grognement désapprobateur.

– Allons, George, on sait bien comment sont les artistes. Ils vont en France tenter leur chance, et reviennent pleins d'idées révolutionnaires !

– Il n'était pas marié ?

– Pas alors; il a paru s'enticher de la fille de Mrs Charrington, mais l'affaire en resta là. Une belle demoiselle, mais trop jeune pour lui, pensez, elle n'avait pas vingt-cinq ans !

– Qui étaient ces Charrington?

Tuppence sentait la fatigue la paralyser. Elle en avait suffisamment entendu pour trouver une explication à l'étrange conversation que lui avait tenue la vieille dame au « Coteau Ensoleillé ». Boscowan ou un autre lui avait offert le tableau en lui racontant différentes histoires sur la maison qu'il représentait et Mrs Lancaster s'était imaginée qu'il était question d'un enfant muré dans la cheminée principale de « Waterside ».

Mécontente de s'être laissée prendre aux propos fantasques d'une femme âgée, Tuppence se promit, lorsque la bavarde lui en fournirait l'occasion, de couper court aux ragots pour aller se coucher.

Ladite bavarde, cependant, semblait en pleine forme, heureuse d'avoir été lancée sur un nouveau sujet, à propos duquel elle avait son mot à dire.

– Mrs et Miss Charrington ont logé quelque temps à « Waterside » une femme très aimable, veuve d'un officier de l'armée des Indes et restée sans fortune. Le loyer, heureusement, n'était pas lourd. Je me souviens qu'elle avait la passion du jardinage, par contre, elle ne soignait pas son intérieur. Je suis bien allée faire un nettoyage complet chez elle, une ou deux fois, mais comme je devais m'y rendre à bicyclette et que le chemin était mauvais, j'ai dû laisser tomber.

D'une voix endormie, Tuppence s'enquit :

– Sont-elles restées longtemps à « Waterside »?

– Pas plus de deux ou trois ans. Toutes les rumeurs qui couraient sur l'endroit, ont dû les effrayer... Il est vrai que pour sa part, la pauvre Mrs Charrington a eu son lot d'ennuis avec sa fille, Louise.

L'auditrice but une gorgée de thé et résolut d'en finir avec les Charrington avant de se retirer.

– Que lui est-il arrivé? Une intrigue avec le peintre Boscowan?

– Oh! Non. Ce n'est sûrement pas lui qui l'a mise à mal, mais plutôt l'autre.

Amusée par l'expression fort usitée dans les campagnes, Tuppence insista:

– Quel autre? Un habitant du coin?

– Je ne pense pas. Elle l'a connu à Londres où elle devait étudier la danse classique... à moins que ce ne soit la peinture. C'est Mr Boscowan qui l'y a envoyée. Le Slate, je crois...

– Le Slade (1)? suggéra la Londonnienne.

– Possible... En tout cas, c'est là-bas qu'elle a fait la connaissance de ce type, venu on ne sait d'où. Lorsque la mère l'a su, elle a interdit à sa fille de le revoir, mais je vous demande un peu! Comme si Louise allait écouter la voix de la raison. Ce n'est pas la peine d'avoir voyagé à travers tant de pays pour rester aussi vieux jeu! La petite, naturellement, donnait des rendez-vous secrets à cet homme et ils se recontraient même, ici, le soir.

– Et un jour, elle s'est trouvée dans le pétrin?...

– Ce ne peut être que lui qui a fait le coup. Je m'en suis aperçu avant la mère! Cette Louise était belle fille, incapable, hélas! de supporter la situation. On la voyait errer à travers la campagne, et parler toute seule à la façon des fous. Quand le type a su ce qu'il en était, il l'a laissée tomber, pardi! C'est alors que la mère aurait dû prendre son courage à deux

(1) École des Beaux-Arts, très réputée.

mains et aller le trouver pour le mettre en face de ses responsabilités. Malheureusement, cette femme n'était bonne qu'à gémir. Un jour, pourtant, elle a bouclé leurs bagages, fermé la maison et emmené sa fille loin d'ici. La propriété a été remise sur le marché et on ne les a jamais revues. Une histoire a bien circulé sur leur compte, mais je n'ai pu découvrir si elle était vraie ou non.

– Il y en a toujours pour inventer des ragots, lança Copleigh.

– C'est bien vrai, George, mais allez savoir si ce n'était pas la vérité, tout compte fait? De telles choses arrivent et, d'autre part, la fille ne paraissait pas très normale avant de partir.

– De quelle histoire s'agit-il?

– Je n'aimerais pas répéter des bruits, peut-être sans fondement... Il y a si longtemps que cela s'est passé... C'est la Louise de Mrs Badcock qui a ébruité l'affaire et elle est tellement menteuse, celle-là, qu'elle aurait bien inventé n'importe quoi pour se rendre intéressante! – La narratrice sembla hésiter, mais n'y tenant plus, finit par dire : Eh bien! il paraîtrait que Miss Charrington aurait tué l'enfant pour se suicider ensuite et que la mère en tomba folle de douleur, au point que sa famille a dû l'enfermer dans une maison pour vieux.

Là, Tuppence sentit un grand désarroi l'envahir. Et si cette Mrs Charrington était la Mrs Lancaster qu'elle recherchait?

– Je n'ai pas tellement cru à ce dénouement dramatique. D'ailleurs je n'y ai pas pensé longtemps car, à ce moment-là, tout le comté s'est mis à vivre dans la terreur. Des choses VRAIES, Mrs Beresford, et horribles s'y passaient...

L'auditrice sembla médusée. Sous son air paisible, voire endormi, le petit village de Sutton Chancelor pouvait donc avoir été, à différentes époques, le théâtre des drames passionnels mémorables?

Tout à fait réveillée, elle pressa son hôte :

– Quoi donc encore?

– Vous l'aurez probablement lu dans les journaux du temps. Cela se passait, voyons... il y a environ vingt ans. Une série de meurtres d'enfants. Ce fut d'abord une petite fille de neuf ans. Un soir, elle n'est pas rentrée de l'école et tout le village s'est mis à sa recherche. On l'a trouvée étranglée dans « Dingley Copse ». J'en ai encore des frissons rien qu'à y penser... Mais ce n'était que le début ! Trois semaines plus tard, une nouvelle victime fut découverte de l'autre côté de Market Basing. Un homme, usant d'une voiture, aurait pu facilement être l'auteur de ces crimes, commis dans la région.

Il y en a eu bien d'autres. Parfois, il se passait un mois ou deux, on croyait que le cauchemar était fini et puis... – signe de tête significatif. – Une fois même, ça s'est passé à moins de deux milles d'ici, aux abords du village, quoi !

– La police... a-t-elle démasqué le meurtrier?

– Ils ont bien essayé, vous pensez ! Une fois, ils ont retiré un homme de la circulation, soi-disant pour qu'il les aide dans leur enquête – comme ils disent toujours. – Il venait d'au-delà de Market Basing. Ils ont dû le relâcher parce qu'il a pu prouver qu'au moment du meurtre, il se trouvait ailleurs ou quelqu'un lui a fourni un alibi, je ne me rappelle plus exactement.

Copleigh rompit le silence qui suivit :

– Qui sait? Peut-être bien qu'ils avaient une idée sur celui qui agissait de la sorte? Je suis sûr qu'ils savaient mais ils n'ont jamais pu le prendre sur le fait.

– Je peux bien vous avouer qu'on a traversé une période épouvantable. Tout le monde était aux cent coups. Chaque fois qu'un nouvel enfant disparaissait, on organisait aussitôt des battues auxquelles chaque famille participait.

– Ouais... je m'en souviens.

– Il arrivait qu'on trouvât tout de suite la petite victime, ou bien ça prenait des semaines. C'est monstrueux... monstrueux que de tels hommes puissent vivre. Ils devraient être tués sur-le-champ, de la même façon que leurs victimes. Si on me laissait faire, moi, je me chargerais bien de les envoyer en enfer ! A quoi ça sert de les enfermer chez les fous où ils vivent comme des coqs en pâte jusqu'au jour où, sous prétexte qu'ils sont guéris, on les remet en liberté? Tiens, ma sœur qui vit dans le Norfolk, m'a raconté un cas semblable. Un type qu'on avait relâché a recommencé deux jours plus tard ! A croire que les médecins eux-mêmes sont fous, pour remettre de tels monstres en circulation !

– Et le maniaque d'ici... n'a jamais été arrêté? Estimez-vous qu'il ait été inconnu dans la région?

– Un inconnu pour nous, peut-être, mais il ne vivait pas à plus de vingt milles de Sutton Chancellor, j'en suis sûre.

– Vous avez toujours soupçonné qu'il était dans le village, Liz.

– Je sais... Que voulez-vous, on se fait des idées ! Dans des moments pareils, on s'échauffe et sans doute parce qu'on a peur, on se figure que c'est quelqu'un du voisinage. J'en étais venue à me méfier des uns et des autres... Vous aussi, George, je me souviens. On regarde avec attention un passant que l'on connaît depuis des années et une idée nous passe par la tête, du genre : « Je me demande si ce ne serait pas lui. Il a l'air bizarre, aujourd'hui. »

– Alors, de son côté, il doit penser de même, j'imagine ?

– C'est possible. Un jour, j'ai entendu dire qu'un assassin n'attirait jamais l'attention sur lui. Il paraît aussi que si on l'observe bien, on ne tarde pas à lui découvrir un regard de dément.

Copleigh articula lentement :

– Jeffreys, le sergent que nous avions à l'époque, répétait souvent qu'il se doutait de qui avait fait les coups, mais il manquait de preuves.

– On n'a donc jamais arrêté le meurtrier ?

– Non. Il a commis ses crimes affreux pendant un an à peu près et puis, un beau jour, plus rien. Il a dû quitter la région et c'est ce qui a fait croire à beaucoup qu'ils savaient de qui il s'agissait.

– Vous voulez dire que, dans le même temps, quelqu'un d'ici est parti ?

– Eh oui !... Vous admettrez que c'est louche, n'est-ce pas ?

Tuppence demanda le nom du suspect, question qu'attendait Mrs Copleigh pour enchaîner aussitôt :

– Ma foi, il y a si longtemps, que je n'oserais rien affirmer. Quelques-uns pensèrent à Mr Boscowan.

– Vraiment !

– Du fait qu'il était artiste. Les gens de sa profession ne jouissent pas d'une grande popularité par ici.

Personnellement, je ne l'en aurais jamais cru capable !

– Il y en avait plus d'un pour affirmer que ce pourrait être Amos Perry, rappela son époux. Il est un peu simple d'esprit. Qui sait ce qui lui passe par la tête, à certains moments?

– Les Perry vivaient-ils dans la région, alors?

– Avant de s'installer à « Waterside » ils occupaient un cottage à cinq ou six milles du village. Je parierais que la police a longtemps gardé Amos à l'œil.

– N'empêche qu'ils n'ont jamais rien pu prouver contre lui. D'ailleurs, Alice soutenait que son mari ne sortait pas le soir, sauf le samedi où il se rendait au pub. Elle ne s'est pas laissé intimider par les questions des policiers, celle-là ! Moi... si j'avais eu un nom à mettre sur le coupable, ce n'est pas Amos Perry que j'aurais désigné mais plutôt sir Philip, bien que je n'aie pas de preuves.

– Qui est-il?

– Sir Philip Starke, le propriétaire de la maison Warrender, qui, avant d'avoir brûlé dans un incendie s'appelait « le Vieux Prieuré ». Vous pouvez voir les tombes de la famille Warrender dans notre cimetière et toutes les plaques commémoratives qui s'alignent sur les murs de l'église. Ils ont habité la région durant des générations, depuis l'époque du roi James, il me semble.

– Sir Philip est-il de leurs parents?

– Non. Je crois que lui – à moins que ce ne fût son père – a dirigé une affaire importante de tôlerie. Un homme étrange, ce sir Philip... Bien que son travail l'appelât dans le Nord, il vivait le plus souvent ici, en reclus, comme on dit. Pâle et maigre, il courait les chemins à la recherche de fleurs sauvages. Un vrai botaniste ! Il ramassait des spécimens que vous n'auriez même pas pris la peine de regarder. Il a écrit un livre sur ce sujet, paraît-il. C'était un garçon intelligent, vous savez, très intelligent... Il avait une femme gentille, très jolie, mais toujours triste.

Copleigh l'arrêta, en s'exclamant :

– Vous en avez des idées ! Sir Philip, assassin d'enfants ! Comment expliquez-vous qu'il ait tant aimé les gosses du village, alors ?

– Justement ! Il exagérait trop dans ce sens ! Des fêtes par-ci, des cadeaux par-là. Il n'avait pas d'enfant à lui, vous comprenez ? On le voyait souvent arrêter les gosses pour leur donner un bonbon ou leur glisser une pièce qu'ils allaient dépenser au bazar. Moi, je trouve qu'il forçait la note ! C'était un drôle d'homme. Et puis, il faut que vous sachiez que sa compagne l'a quitté.

– Quand donc ?

– Environ six mois après le premier meurtre d'enfant, alors que nous comptions déjà trois petites victimes. Lady Starke est partie pour le Sud de la France et n'est jamais revenue. Elle n'était pourtant pas du genre à agir à la légère ; une épouse douce, respectable, pas du tout une farfelue qui s'amouracherait du premier venu. Alors, pourquoi l'a-t-elle abandonné ? Pour moi, elle a découvert quelque chose, la malheureuse...

– Qu'est-il advenu de sir Philip ?

– Il vient encore une ou deux fois par an. La maison est fermée presque toute l'année et surveillée par un gardien. Miss Bligh qui est son ancienne secrétaire s'occupe encore un peu de ses affaires.

– Et sa femme ?

– Morte, la pauvre ! C'est arrivé peu de temps après qu'elle l'eut laissé, d'ailleurs, et il a fait mettre une plaque commémorative à son nom dans l'église. Dans un sens, il vaut mieux qu'elle ait gagné un autre monde. Ça ne m'étonnerait pas qu'elle soit morte de chagrin, à force de penser que celui qu'elle avait épousé était un criminel.

– Ce que vous allez vous imaginer, vous autres, les femmes ! s'exclama Copleigh.

– Tout ce que je dis, c'est que cet homme s'attachait aux enfants d'une façon peu naturelle.

– Bah !...

Accusant par son silence la force de sa conviction, son épouse se leva et commença à débarrasser la table.

– C'est pas trop tôt, soupira Copleigh. Vous allez donner des cauchemars à cette dame avec vos histoires du passé qui n'intéressent plus personne.

Se levant à son tour, Tuppence protesta poliment :

– J'ai pris grand plaisir à vous écouter. Mais je me sens très lasse et je crois que je vais tout de suite monter me coucher. Bonne nuit et merci.

– Voulez-vous que je vous porte une tasse de thé à votre réveil ? Disons vers 8 heures ?

– C'est très aimable à vous, mais je ne voudrais pas vous donner du travail supplémentaire...

Balayant l'air de sa main potelée, Mrs Copleigh protesta vivement et Tuppence battit en retraite. Elle dut se tenir à la rampe pour gravir les marches menant à l'étage. Une fois dans sa chambre, à moitié endormie, elle procéda à sa toilette et se glissa dans son lit avec un soupir de satisfaction. Les divers racontars entendus au cours de la soirée, défilaient dans son cerveau engourdi en un ballet sinistre dansé par des fantômes sans formes précises. Une ronde d'enfants au cou meurtri... Trop de petites victimes... Elle n'en voulait voir qu'une, murée dans une cheminée, celle de Waterside. La poupée... Une enfant tuée par sa mère, une fille rendue folle par l'abandon de son amant. Quel tableau mélodramatique ! tout était confus... l'ordre chronologique embrouillé...

Tuppence tomba dans un lourd sommeil et rêva. Une Lady of Shalott (1) floue, se tenait accoudée à une fenêtre de la maison près du canal. Un grattement indistinct venu de la hotte de la grande cheminée au fond de la pièce, se transformait graduellement en une succession de coups frappés contre une plaque de fer sur un rythme syncopé.

Tuppence se réveilla en sursaut et fixa bêtement sa porte, à laquelle quelqu'un heurtait de l'extérieur. Un instant plus tard, Mrs Copleigh entrait et déposait une tasse de thé fumante sur la table de chevet. Ayant tiré les rideaux, la brave femme tourna sa bonne face joufflue vers le lit et s'informa, dans un large sourire :

– Vous avez passé une bonne nuit?

Personne, pensa Tuppence, n'aurait pu refléter la bonne humeur mieux que Mrs Copleigh, ce matin-là. Elle n'avait certainement pas eu de cauchemars !

(1) Lady of Shalott : personnage du roman de la Table Ronde « Lancelot du Lac ».

IX

# UNE MATINÉE A MARKET BASING

Avant de se retirer, la pétulante Mrs Copleigh déclara d'un ton résigné :

– Encore une nouvelle journée. C'est ce que je me dis chaque matin en ouvrant les yeux.

Sirotant son thé brûlant, Tuppence essaya de mettre de l'ordre dans ses idées. « Si seulement Tommy était là... Cette soirée m'a complètement embrouillée et je me demande si je ne me suis pas conduite comme une idiote en faisant ce voyage. »

Avant de sortir, elle ne manqua pas d'inscrire sur son carnet toutes les informations qu'elle possédait sur le petit village, informations plus ou moins exactes, où les faits historiques se mêlaient aux ragots, superstitions et sottises...

« Je commence à bien connaître les aventures sentimentales du coin depuis le XVIIIe siècle, mais où cela me mène-t-il ? Je ne me rappelle plus ce que je suis venue chercher ici. Me voilà empêtrée dans des histoires d'où je ne vois pas comment sortir. »

Ayant salué les Copleigh, la femme de Tommy

récupéra sa voiture et s'engagea dans la rue principale, espérant ne pas croiser Miss Bligh dont elle ne se sentait pas d'humeur à supporter les questions. Et ce fut juste à ce moment que la vieille fille apparut à l'angle de la rue. Reconnaissant la conductrice elle agita les bras de telle sorte que Tuppence dut ralentir pour l'informer un peu sèchement qu'elle allait à un rendez-vous.

– Quel dommage ! Pensez-vous être bientôt de retour ?

– Je ne sais...

– Pourrez-vous venir déjeuner chez moi ?

– C'est très aimable à vous, mais je crains...

– Alors, nous prendrons le thé ensemble. Je vous attends à 4 h 30.

Tuppence sourit, hocha la tête et reprit sa route. Peut-être que si elle découvrait quelque chose d'intéressant chez les agents immobiliers, Miss Bligh serait-elle à même de lui fournir des renseignements complémentaires. L'ennui est qu'elle ne manquerait pas de questionner son auditrice sur sa vie privée. Tuppence espérait bien avoir suffisamment retrouvé son esprit inventif au moment de leur confrontation pour emprunter certains détails à l'un de ses personnages imaginaires et se les attribuer : Mrs Blenkinsop, par exemple. Cette perspective la fit sourire ; il ne lui déplairait pas de jouer un tour à la curieuse.

En entrant dans Market Basing, elle rangea sa voiture dans le rond-point réservé aux stationnements et se rendit à la poste d'où elle appela son appartement.

Albert lui répondit, lançant comme d'habitude, un « allô » méfiant.

– Écoutez, Albert, je serai de retour demain. A

temps pour le dîner, sinon plus tôt, Mr Beresford sera aussi de retour à moins qu'il ne téléphone. Achetez-nous quelque chose à manger... un poulet, si vous voulez.

– Très bien, madame. D'où m'appelez-vous?...

Mais sa correspondante avait déjà raccroché.

La vie de Market Basing se concentrait autour de son square principal. Tuppence, ayant consulté un plan de la ville, constata que trois agences immobilières occupaient des immeubles autour dudit square et que la quatrième et dernière était dans une rue attenante, George Street.

Tuppence choisit de commencer par l'agence de Messrs Lovebody & Slicker parce que la plus importante. Elle y fut accueillie par une jeune fille au visage boutonneux.

– Je désire me renseigner sur une maison.

Cette remarque ne parut pas tellement enchanter la réceptionniste qui murmura, tout en cherchant des yeux un collègue auquel elle pourrait refiler la raseuse :

– Je ne sais si nous sommes à même de vous aider, madame.

– Je suis pourtant bien, ici, dans une agence immobilière?

– Parfaitement, mais nous nous occupons surtout des maisons à vendre aux enchères. La salle des ventes est ouverte chaque mercredi et vous trouverez tous les détails sur nos propriétés dans ce catalogue qui coûte 2 shillings.

– Aucun intérêt pour moi. Les enchères ne m'intéressent pas.

– Vous voulez une maison à louer?

– Non, à acheter.

– Alors, je crois qu'il faut vous adresser à Mr Slicker.

N'y voyant aucun inconvénient, Tuppence fut introduite un instant plus tard dans un petit bureau où un jeune homme vêtu de tweed l'invita à s'asseoir pour se plonger aussitôt dans un registre qui contenait la liste des propriétés à vendre, de gré à gré.

– Que pensez-vous de celle-ci? Construction solide, trois chambres, cuisine... Ah! non! pardonnez-moi, elle est vendue... En voici une autre... Amabel Lodge, résidence pleine de caractère, 2 hectares, prix avantageux.

Tuppence l'interrompit d'un ton ferme :

– J'ai déjà vu la maison qui me plaît. Elle est située non loin de Sutton Chancellor, près d'un canal...

– Sutton Chancellor? Je ne crois pas que nous ayons de propriété libre de ce côté, pour le moment. Quel nom?

– Waterside ou Watermead. Je crois savoir qu'une seule partie est actuellement en location, mais personne n'a pu me renseigner sur l'autre partie, ni sur son propriétaire.

– Je regrette mais j'ignore tout sur cette maison. Adressez-vous plutôt à Messrs Blodget & Burgess, ils pourront peut-être vous venir en aide.

Son ton de voix impliquait qu'il tenait la firme de Messrs Blodget & Burgess pour assez médiocre.

Sans se laisser décourager pour autant, Tuppence se rendit à l'agence en question, située en face de sa rivale, à laquelle elle ressemblait d'ailleurs beaucoup. Même genre d'affiches aux slogans prometteurs, alignées derrière des vitres crasseuses, même accueil à la réception où elle fut très vite remise entre les mains d'un vieux gentleman répondant au nom de Sprig et à l'air désenchanté. A nouveau, elle expliqua le but de sa visite et cette fois, son vis-à-vis admit connaître la propriété en question, sans pour cela se départir de son air flegmatique. Il se contenta d'observer :

– Elle n'est pas sur le marché et je doute que son propriétaire ait l'intention de la vendre.

– Pouvez-vous m'indiquer qui il est?

– Ma foi, je ne suis pas sûr... Cette propriété a changé souvent de mains et je me souviens qu'à un moment donné le conseil municipal parlait de l'acquérir.

– Dans quel but?

Il eut un sourire désabusé.

– Les motifs qui font agir ces gentlemen demeurent ignorés du public. Je sais que l'arrière de la maison est loué pour un prix dérisoire à un couple, les... Perry, et maintenu en bon état. Quant au propriétaire, il me semble qu'il vit à l'étranger et ne s'occupe absolument pas de son bien. Je crois me souvenir qu'un mineur devait en hériter et que la propriété fut longtemps administrée par plusieurs exécuteurs testamentaires. Il y eut des complications. Les frais de justice sont élevés, Mrs Beresford, et le propriétaire préférera laisser sa maison tomber en ruine, sauf la portion où logent ses locataires, plutôt que d'y investir des capitaux inutilement. Le terrain, naturellement, peut augmenter de valeur, mais maintenir une propriété non occupée est rarement profitable. Si « Waterside » est le genre de maison que vous souhaitez, nous pourrions vous trouver sans mal une affaire bien plus intéressante. Qu'est-ce qui a particulièrement attiré votre attention dans cette maison?

– Elle me plaît parce qu'elle est jolie... Je l'ai tout d'abord remarquée en passant en train...

Mr Sprig contempla sa cliente, perplexe. La naïveté des femmes dépassait sa compréhension. D'un ton conciliant, il observa :

– A votre place, je l'oublierais, Mrs Beresford.

– Peut-être pourriez-vous me mettre en rapport avec le propriétaire pour lui demander s'il consentirait à vendre? A moins que vous ne me confiiez son adresse...

– Si vous insistez, j'écrirai à son notaire, mais ne comptez pas trop sur une réponse encourageante.

Prenant un air boudeur, Tuppence soupira :

– De nos jours, il faut s'adresser aux notaires pour tout, et ils sont tellement lents à agir.

– C'est exact.

– Et les banques ne valent pas mieux.

– Les banques...? Je ne vois pas...

– Tant de personnes chargent leur banque de faire suivre leur courrier, et il faut attendre si longtemps avant de pouvoir les joindre personnellement.

– Oui... oui... bien sûr, que voulez-vous, les gens se déplacent sans cesse à l'heure actuelle. – Attirant à lui un dossier dont il feuilleta les pages dactylographiées : – Je me souviens d'une propriété, « Crossgates », qui est justement à vendre et qui correspondrait probablement mieux à...

Coupant court à l'entretien en se levant, Tuppence remercia l'homme d'affaires et le planta là, tout éberlué.

Elle ne resta que quelques minutes dans la troisième agence qui ne s'intéressait qu'aux ventes de bétail et fermes tombées en ruine.

Elle se rendit finalement dans George Street chez Messrs Roberts & Wiley, une agence assez petite, mais propre et avenante. Les brochures n'offraient, cependant, que de grosses propriétés de construction récente, dont les architectures massives manquaient d'harmonie; le tout, offert à des prix exorbitants.

Remarquant que sa cliente éventuelle était décidée à partir, le jeune employé, qui avait paru ignorer l'existence de Sutton Chancellor, admit connaître le village en question, et conclut même :

– La firme de Blodget & Burgess a presque l'exclusivité de ce coin-là, mais je tiens à vous dire que toutes les propriétés attenantes au village sont en mauvais état et nécessitent, au départ, de gros frais.

– En passant dans la région, en train, j'ai aperçu une jolie maison près du canal à environ deux milles de Sutton Chancellor. Savez-vous pourquoi personne ne veut l'habiter?

– Oh ! Je vois de laquelle vous voulez parler. Il est exact qu'elle change sans arrêt de mains. On raconte qu'elle est hantée.

– Vraiment?

– Ma foi... Il haussa les épaules. En fait, beaucoup de rumeurs circulent sur son compte. Bruits étranges entendus la nuit, etc. Si vous voulez mon avis, c'est tout simplement un nid à rats !

– Quel dommage... Elle m'avait paru si jolie et si calme.

– Trop isolée, se plaignent la plupart des gens. Et puis, elle est inondée en hiver... songez à cela !

– Je constate qu'il y a, en effet, sujet à réflexion.

En route vers « l'Agneau et le Chapeau » où elle se proposait de déjeuner, Tuppence repassa dans son esprit, sa conversation avec l'employé de l'agence de George Street, à propos de la maison près du canal. « Tant de choses qui clochent : inondations, revenants, bruits de chaînes la nuit, propriétaire absent, notaires et banques... Une maison que personne ne veut ou n'aime, à part moi, peut-être... »

A l'auberge, on lui servit une nourriture saine et copieuse faite pour revigorer les fermiers des environs : potage de légumes, porc accompagné de compote de pommes acides et fromage de Stilton, ou, au choix, tarte aux prunes arrosée de crème.

En quittant la table, Tuppence erra un moment à travers les rues, assez banales, et regagna sa voiture pour reprendre la route de Sutton Chancellor. Elle avait le sentiment d'avoir perdu sa matinée.

Comme elle amorçait le dernier tournant lui découvrant l'église, elle aperçut le pasteur sortant du cimetière. Elle s'arrêta à sa hauteur.

– Encore à la recherche de cette tombe, monsieur le Vicaire?

– Je m'y efforce bien, mais ma vue n'est plus très bonne et beaucoup d'inscriptions sont à demi effacées par les intempéries. Mon dos me donne aussi des élancements bien douloureux et lorsque je reste trop longtemps penché, je doute de pouvoir jamais me redresser.

– Pourquoi n'abandonnez-vous pas? Je suis sûre que vous avez fait plus que votre devoir.

– Je sais, mais ce pauvre homme m'a confié une tâche que je dois achever avant de lui répondre. Il me reste encore un petit coin à inspecter, de l'if au mur d'enceinte. Les pierres y sont cependant très anciennes, pour la plupart, mais je ne me sentirai la conscience tranquille que lorsque j'aurai tout vérifié.

J'en ai cependant assez fait pour ce soir, le reste attendra demain.

– Si vous voulez, je m'en chargerai à votre place. Je dois prendre le thé chez Miss Bligh qui m'attend, mais sitôt après, je viendrai reprendre votre travail où vous l'avez laissé et vous en communiquerai le résultat.

– Voilà qui est très aimable, ma chère enfant. J'ai mon sermon à terminer et, grâce à vous, je vais pouvoir m'y consacrer l'esprit en paix.

Il repartit vers le presbytère d'une démarche plus légère et Tuppence, consultant sa montre, se rendit à l'invitation de Miss Bligh. Une corvée.

Trouvant la porte du perron ouverte, elle s'avança dans le hall que la vieille fille traversait justement, avec une assiette de « scones » fraîchement sortis du four.

– Mrs Beresford ! Je suis contente que vous ayez pu venir. Entrez, entrez. Tout est prêt et je n'ai qu'à verser l'eau bouillante dans la théière. J'espère que vous avez eu le temps de terminer vos achats, ajouta-t-elle en fixant le sac à provisions vide que tenait son invitée.

– Je n'ai, malheureusement, rien trouvé qui me tentât. Il est vrai que je ne cherchais que des objets curieux.

Le sifflet de la bouilloire empêcha la vieille fille d'insister. S'excusant, elle se hâta vers la cuisine, heurtant au passage un petit guéridon duquel tombèrent quelques lettres prêtes à être postées.

Tuppence se pencha pour les ramasser et en les replaçant nota une adresse : Mrs Yorke, Rosetrellis Court, pension pour personnes âgées, et le nom d'un petit village dans le Cumberland.

« Ma parole, c'est à croire que le pays ne compte que des maisons de retraites. »

Miss Bligh réapparut avec sa théière et invita sa visiteuse à la suivre au salon.

La conversation s'avéra moins mélodramatique, moins savoureuse que celle de Mrs Copleigh. A la vérité, Nellie Bligh cherchait plutôt à soutirer des informations qu'à en fournir.

Tuppence fit vaguement allusion à ses années de service, durant la guerre, s'étendit un peu plus sur les problèmes domestiques que connaît chaque ménagère anglaise et parla longuement de son fils et de sa fille, tous deux mariés et déjà père et mère de famille. Sans laisser le temps à son interlocutrice de pousser son interrogatoire plus avant, elle orienta habilement la conversation sur les activités de son hôtesse. La vieille fille chanta les louanges des différents comités de la commune au sein desquels elle tenait la place de présidente puis passa à la santé du pasteur et à ses étourderies de vieillard sur lesquelles il lui fallait veiller avec vigilance.

Là-dessus, Tuppence fit l'éloge des « scones » remercia son hôtesse et se leva pour prendre congé.

– Je vous suis très reconnaissante de m'avoir recommandée aux Copleigh. Ma chambre est parfaite et ces braves gens se sont montrés charmants à mon égard.

– Je veux bien le croire, mais cette Mrs Copleigh n'arrête jamais de colporter des ragots.

– J'ai pris grand plaisir à l'entendre me conter les vieilles histoires de la région.

Sur un ton désapprobateur, Nellie Bligh répliqua :

– La plupart du temps, elle parle de choses

qu'elle ignore. Comptez-vous rester encore longtemps dans notre village?

– Non, je repars demain. Je suis un peu déçue de n'avoir pu trouver de propriété qui me convienne. Je dois dire que j'avais fondé quelque espoir sur la maison près du canal, « Waterside ».

– Soyez heureuse de ne pas vous en être encombrée! Elle se trouve dans un état quasiment irréparable. Le propriétaire ne s'en occupe jamais... c'est un scandale!

– Je n'ai même pas pu découvrir son identité. Le connaîtriez-vous, par hasard?

– Je ne m'intéresse pas beaucoup à cette propriété. Je sais que les locataires changent tout le temps. Pour le moment, les Perry logent sur l'arrière et le devant est laissé à l'abandon.

En quittant la vieille fille, Tuppence retourna chez les Copleigh. N'entendant pas de bruit dans la maison, elle supposa que le couple était sorti. Montant à sa chambre, elle se débarrassa de son filet à provisions, se repoudra puis, ressortant sur la pointe des pieds, laissa sa voiture devant la maison pour suivre un chemin qui donnait sur l'arrière du cimetière dans lequel elle pénétra en enjambant une petite barrière.

Elle passa à pas lents devant les croix et pierres tombales qu'éclairaient les rayons de soleil couchant et arriva jusqu'au coin indiqué par le pasteur. Elle n'espérait rien découvrir, mais le bon vieillard comptait sur elle. Impossible donc de repartir sans examiner consciencieusement toutes les inscriptions, pas encore vérifiées. Jane Elwood, décédée à l'âge de 45 ans... William Marl, 1835... Mary Treves, emportée dans sa cinquième année, 14 mars 1835. « Trop ancien » pensa l'investigatrice.

Ainsi, elle parvint jusqu'à l'extrémité de la rangée de tombes, invisible de la route parce qu'abritée par l'église. Les dernières, dont la forme ne se dessinait plus que sous un manteau de lierre, se tenaient de guingois, en quête d'un ultime appui, d'autres gisaient à terre, victimes de l'usure du temps ou de quelques voyous effrontés.

Elle se pencha vers une plaque dont il ne restait presque rien de l'inscription originale. La soulevant avec peine, elle distingua des lettres, quelques mots grossièrement tracés, eux aussi à demi effacés par le temps. Tuppence réussit cependant à déchiffrer çà et là des bribes de phrases.

« Quel que soit... offense... un de ces petits innocents... Millstone... Millstone... Millstone... »

Et dessous, gravé d'une main malhabile :

« *Ici, repose Lily Waters* ».

Tuppence se redressa lentement et aspira une longue bouffée d'air. Elle fut soudain consciente d'une ombre dans son dos, mais avant qu'elle n'ait eu le temps de se retourner, quelque chose s'abattit sur sa tête. Elle s'écroula sur la pierre qu'elle venait d'examiner.

# TROISIÈME PARTIE

# UNE ÉPOUSE DISPARAÎT

X

# UNE CONFÉRENCE ET SES SUITES

1

– Eh bien ! Beresford, lança le général de brigade sir Josiah Penn, K. M. G., C. B., D. S. O. (1) sur un ton approprié à la kyrielle de titres faisant suite à son nom. Eh bien ! que pensez-vous de toutes ces balivernes ?

Tommy déduisit de cette remarque, que le vieux Josh, comme il l'appelait derrière son dos, n'était pas particulièrement impressionné par ces conférences auxquelles ils venaient d'assister et qui allaient bientôt prendre fin.

Le général ajouta d'ailleurs :

– Beaucoup de phrases pour ne rien dire ! Si par hasard, quelqu'un trouve quelque chose d'intéressant à déclarer, la majorité le force à se taire en poussant les hauts cris. Je me demande vraiment pourquoi nous devons participer à ces conférences. Personnellement, j'admets que je m'y rends parce que ce m'est

(1) Distinctions militaires.

une occasion d'échapper à l'ennui qui me mine chez moi. Savez-vous, Beresford, que ma gouvernante me harcèle sans cesse et que mon jardinier, un vieil Écossais, ne m'autorise pas à cueillir les pêches de mon jardin? Je viens donc ici où, au moins, je puis jouer au bulldog et me convaincre que je suis utile à quelque chose. Bah! niaiseries que tout cela! Mais vous, un garçon encore jeune, pour quelles raisons perdez-vous votre temps parmi nous? Personne ne prêtera attention à vos propos, même s'ils valent la peine d'être écoutés.

S'entendre qualifier de « garçon encore jeune » amusa Tommy. Il est vrai que la remarque venait d'un plus qu'octogénaire.

– Nous n'aboutirions jamais à aucun résultat si vous n'étiez pas là, Sir.

– C'est ce que je me plais à croire. Je suis un bulldog édenté... mais qui peut encore aboyer. Comment va Mrs Tommy? Il y a longtemps que je ne l'ai vue.

Tommy répondit que Tuppence se portait bien et était toujours aussi active.

– Je ne l'ai jamais connue autrement. Elle me faisait penser à une libellule, sans cesse à la poursuite d'une idée farfelue qui, par la suite, s'avérait presque toujours très subtile. Une petite femme pleine d'entrain. Ce n'est pas comme ces écervelées qui se dévouent pour des causes idiotes. Insupportables créatures! Quant au jeunes... – Il hocha la tête d'un air désapprobateur. – Elles ne ressemblent plus à celles que j'avais l'habitude de côtoyer, de mon temps. Elles étaient alors jolies comme des cœurs avec leurs robes de mousseline! A un moment donné, c'était la mode des chapeaux cloches. Vous

vous souvenez? Non, bien sûr... cela se passait avant votre temps. Il fallait faire toutes sortes de contorsions avant de pouvoir apercevoir le visage caché sous les bords rabattus. Elles le savaient, les coquines, et nous taquinaient! Je me rappelle... attendez... une de vos parentes, je crois... Ada. Ada Fanshawe...

– Ma tante Ada?

– Le plus joli brin de fille que j'aie connu.

Tommy dissimula tant bien que mal son incrédulité devant un tel jugement. Tante Ada... jolie!

Le vieux Josh poursuivait:

– Ravissante, vraiment. Pétillante avec ça! Gaie! Toujours taquine. Je me souviens de notre dernière rencontre. J'étais sous-lieutenant, à l'époque, et à la veille de partir pour les Indes. Nous nous trouvions à une partie de plaisir sur la plage, au clair de lune. Je l'ai emmenée à l'écart et nous nous sommes assis sur un rocher à regarder la mer...

Fasciné, Tommy scrutait le visage du conteur: son double menton, ses gros sourcils en broussailles, son crâne dégarni... Il revit sa tante avec son menton légèrement poilu, son sourire sardonique, ses yeux pleins de malice et ses cheveux gris fer. « La marque du Temps! pensa-t-il, comme il nous déforme... » Il essaya de se représenter un jeune officier et une jolie fille, au clair de lune. Il n'y parvint pas.

Sir Josiah Penn reprit en soupirant:

– C'était romantique... vraiment romantique. Ce soir-là, j'aurais aimé lui demander de m'épouser, mais un jeune officier n'a pas le droit de s'attacher. Vous comprenez, nous aurions dû attendre cinq ans pour nous marier et on ne peut pas demander à une jeune fille de sacrifier ses meilleures années, en vue d'un avenir aussi incertain. Après, ma foi, vous savez comment cela se passe. Je suis resté longtemps absent, nous nous sommes écrit durant quelques mois et puis peu à peu notre correspondance s'est espacée pour cesser complètement. Je ne l'ai jamais revue et néanmoins... je ne l'ai pas oubliée tout à fait. Je me souviens que, bien des années plus tard, je me suis presque décidé à lui envoyer un mot. J'avais appris qu'elle logeait non loin d'amis chez lesquels je passais une permission et impulsivement, j'ai éprouvé le désir de la revoir. Mais j'ai réfléchi que ce serait une folie. Elle ne ressemblait probablement plus à la beauté dont je gardais le souvenir. Plus tard, j'ai entendu un type faire allusion à elle comme à la femme la plus laide qu'il ait jamais rencontrée. Sur le moment, cela m'a donné un choc et puis, j'ai pensé qu'il était sans doute préférable que je ne l'aie point revue. Comment est-elle ? Toujours en vie ?

– Non. Elle est morte, il y a seulement trois semaines.

– Vraiment ?... Elle devait avoir, voyons... dans les soixante-seize, hé ?

– Quatre-vingt !

– Par exemple ! Dites-moi, s'était-elle retirée dans une pension de retraite ou gardait-elle une dame de compagnie... Était-elle mariée ?

– Non. Elle ne s'est pas mariée. Elle a vécu plusieurs années dans une maison de retraite, très confortable, d'ailleurs, « Le Coteau Ensoleillé ».

– Je connais ce nom. Une amie de ma sœur y était, une Mrs Carstairs. Lui avez-vous parlé ?

– Malheureusement, je n'ai jamais eu le temps de m'attarder assez longtemps pour connaître les autres pensionnaires.

– Rien que cela doit être une corvée. Difficile de leur faire la conversation, j'imagine ?

– Tante Ada se montrait particulièrement acariâtre.

– Cela ne me surprend pas, déclara le général, en riant. Jeune, elle passait pour un bon petit diable. Après un court silence, il soupira. Triste affaire que de vieillir. J'ai rencontré une amie de ma sœur qui avait complètement perdu les pédales. Elle claironnait à la ronde qu'elle avait tué quelqu'un.

– Était-ce vrai ?

– Je ne le pense pas. Personne n'a jamais pris ses propos au sérieux. En y réfléchissant, elle aurait très bien pu, tout compte fait, supprimer un de ses semblables, car si l'on se vante d'un exploit sur un ton plaisant, nul n'y attache d'importance. Que pensez-vous de cela, mon garçon ?

– Qui croyait-elle avoir tué ?

– Aucune idée. Son mari, peut-être ? Je ne sais qui il était ou ce qu'il faisait. Nous ne l'avons connue que veuve. Ma foi... Je suis désolé de la nouvelle concernant Ada. Je ne l'ai pas remarqué dans les journaux, sinon j'aurais envoyé des fleurs... des boutons de roses, comme les jeunes filles aimaient à porter, jadis, sur leurs robes de soirée. Un bouquet de roses à l'épaule. Très joli, ma foi. Je revois Ada dans une robe longue... couleur hortensia, bleu-mauve... avec son bouquet de roses. Elle m'en a donné un, un jour. Pas de vraies fleurs, bien sûr, et je l'ai longtemps gardé... des années, peut-être... Évidemment, observa-t-il en notant l'expression amusée de son interlocuteur, tout cela vous fait sourire. Mais attendez, lorsque vous serez vieux et gaga comme moi, vous redeviendrez sentimental. Bon... je vais devoir retourner assister au dernier acte de cette exhibition ridicule. Mes hommages à Mrs Tommy, lorsque vous rentrerez.

Dans le train qui le ramenait à Londres le lendemain, Tommy repensa à sa conversation de la veille et chercha de nouveau à se représenter sa redoutable tante et l'impétueux général de brigade, jeunes et romantiques.

« Il faudra que je raconte cela à Tuppence, pour l'amuser. Je me demande ce qu'elle a pu fabriquer pendant mon absence. »

## 2

Le fidèle Albert ouvrit la porte de l'appartement, le visage rayonnant.

– Je suis heureux de vous revoir, patron.

– Moi aussi, Albert. – Tommy tendit ses valises. – Mrs Beresford est là?

– Pas encore rentrée. Elle est absente depuis quatre jours. Hier, elle a téléphoné et m'a prévenu qu'elle serait de retour pour le dîner.

– Où est-elle allée?

– Je n'en sais rien, patron. Elle est partie avec la voiture en emportant une pile de guides de chemins de fer. Elle pourrait se trouver n'importe où, comme qui dirait.

– Je n'en doute pas. Elle a probablement échoué dans un bled perdu. Vous dites qu'elle a appelé hier... vous a-t-elle précisé où elle se trouvait alors?

– Non.

– A quelle heure cela se passait-il?

– En fin de matinée. Elle m'a affirmé que tout allait bien, puisqu'elle comptait rentrer avant le dîner et m'a même suggéré d'acheter un poulet. Cela vous convient, patron ?

– Oui, oui. Elle devrait bientôt arriver.

– Je pourrais ralentir le poulet ?

Narquois, Mr Beresford observa :

– Il est donc pressé ? Comment se sont passées les choses durant mon absence, Albert ? Tout le monde va bien chez vous ?

– Nous avons craint que les enfants n'aient la rougeole, mais ce n'était qu'une éruption de boutons due à la quantité de fraises qu'ils avaient mangée.

– Parfait.

Tommy monta se changer puis erra à travers les pièces, encore plus désertes en l'absence de sa femme. L'appartement, méticuleusement propre et ordonné, ne trahissait aucun indice de son passage ; pas de livres ouverts abandonnés au hasard, sur la coiffeuse, pas de traces de poudre ou de flacons laissés çà et là. Bref, le mari de Tuppence se sentait comme le chien fidèle que son maître aurait oublié quelque part.

– Patron...

Tommy se tourna d'un bloc.

– Eh bien, Albert ?

– Je suis inquiet à propos du poulet.

– Au diable, le poulet !

– Je comptais que vous mangeriez à 8 heures.

Jetant un coup d'œil à sa montre, son maître s'exclama :

– Grand Dieu ! Déjà 9 heures moins 20 !

– Exact. Et mon poulet...

– Sortez-le du four, mon vieux ! D'ailleurs, vous et moi allons l'attaquer tout de suite. Cela apprendra à Tuppence de se faire attendre ainsi. Vous n'avez vraiment aucune idée de l'endroit où elle se rendait ?

– Aucune, patron. J'ai cru comprendre qu'elle avait l'intention de voyager en train à la façon dont elle consultait ses guides de chemin de fer et horaires. Pourtant, c'est en voiture qu'elle est partie.

– Où peut-elle bien être ?

– En tout cas, elle savait que vous seriez de retour aujourd'hui.

Au fond, Tommy en voulait un peu à son épouse de ne pas s'être trouvée à la maison pour l'accueillir.

Laissant son domestique sortir la volaille du four, Beresford arpenta sa chambre tout en méditant. Brusquement, son regard accrocha au passage le tableau posé au-dessus de la cheminée. S'en approchant, il murmura :

« C'est curieux qu'elle pense avoir déjà vu cette maison quelque part. »

Pour lui, il était certain de ne pas la connaître. C'était de toute manière, une construction parfaitement ordinaire, semblable à ses yeux à des centaines d'autres. Décrochant le cadre, il le tint près de la lampe de chevet pour mieux discerner les détails. Du bon travail... un effet de lumière heureux... Signature... B... Non, il ne pouvait pas lire la suite. S'armant d'une loupe, il examina minutieusement les lettres fondues dans une tache sombre. Bosworth... Bouchier...

Un bruit de cloche l'empêcha de poursuivre. Albert se servait d'une cloche de vache, rapportée de Suisse, pour informer son maître que le dîner était servi, et ce dernier, se sentant peu d'appétit, descendit à la salle à manger, tout en s'interrogeant sur ce qui avait bien pu retenir Tuppence.

Présentant le plat de légumes à Beresford, Albert articula :

– J'espère qu'elle n'a pas eu d'accident.

– Enlevez ça de ma vue ! Pourquoi aurait-elle eu un accident ?

– Voyager par la route est dangereux, de nos jours.

A ce moment, la sonnerie du téléphone emplit l'air, les faisant sursauter.

Se levant d'un bond, Albert cria :

– C'est sûrement elle ! et se précipita vers le hall.

Tommy, moins alerte, arriva sur ses talons au moment où il répondait :

– Oui, monsieur Beresford est ici. Le voici justement. Se tournant. Un certain docteur Murray désire vous parler.

– Docteur Murray ? Tommy fronça les sourcils. Le nom lui était vaguement familier... Si Tuppence avait eu un accident... Brusquement, il se souvint que Murray était le médecin du « Coteau Ensoleillé ». Il l'appelait sans doute pour une formalité omise à la mort de tante Ada. Quelque papier à signer.

Poussant un soupir de soulagement, il prit le combiné.

– Beresford à l'appareil.

– Je suis content de vous obtenir. Vous vous souvenez sans doute de moi. J'ai soigné votre tante, Miss Fanshawe.

– Parfaitement. Que puis-je pour vous ?

– Il y a quelque chose que j'aimerais vous

confier. Peut-être pourrions-nous nous rencontrer en ville un de ces prochains jours?

– Facilement. S'agit-il de quelque chose que vous ne pouvez me confier au téléphone?

– Je préférerais vous en parler de vive voix. Ce n'est pas urgent, remarquez...

– Des ennuis au « Coteau Ensoleillé »? fit Tommy, se demandant en même temps pourquoi il posait une telle question.

– Disons une suite d'événements assez bizarres. Je me fais peut-être une montagne d'un rien.

– Serait-il question de Mrs Lancaster?

– Mrs Lancaster...? Non, d'ailleurs elle a quitté l'établissement depuis quelque temps déjà. Avant que votre tante ne meure. Non, cette affaire est bien différente.

– J'ai été absent durant quelques jours... Je rentre juste. Puis-je vous appeler demain? Nous pourrions alors fixer un rendez-vous?

– Entendu. Je serai à mon cabinet de consultations jusqu'à dix heures.

Lorsque Tommy regagna la salle à manger, Albert questionna aussitôt :

– Mauvaises nouvelles?

– Ne soyez donc pas si pessimiste, Albert! Bien sûr que non!

– J'avais pensé que la patronne...

– Je suis certain que rien ne lui est arrivé. Vous la connaissez; elle sera probablement partie sur une de ses pistes. Enlevez-moi ce poulet de dessous les yeux et apportez le café. Si elle ne rentre pas, nous aurons certainement de ses nouvelles demain matin, par lettre, télégramme ou téléphone.

Le lendemain matin cependant, on n'eut pas de nouvelles de Tuppence.

Albert vint se planter devant Beresford, qu'il surveilla, attaquant son petit déjeuner. Il aurait bien voulu communiquer ses impressions à son patron mais ce dernier le remettrait peut-être à sa place...

Remarquant son air tourmenté, Tommy lança brusquement :

– D'accord, Albert ! Je vais le dire à votre place : *où est-elle ?* Que lui est-il arrivé et... qu'allons-nous faire ?

– Informer la police ?...

– Hum... Voyez-vous, Albert...

– Elle a peut-être été blessée dans un accident ?

– Avec tous les papiers qu'elle porte sur elle, un hôpital aurait vite fait de prévenir sa famille. Je ne veux pas agir à la légère. Il se peut qu'elle cherche à éviter toute publicité. Essayez de vous souvenir... Vous n'avez aucune idée de ce qu'elle avait l'intention d'entreprendre ? Elle n'a pas fait allusion à une ville, ou même une région ?

Albert hocha mélancoliquement la tête.

– Comment vous a-t-elle semblé avant son départ ?... Contente ? Exaltée ? ou plutôt déprimée... inquiète ?

La réponse du garçon ne se fit pas attendre.

– Contente d'elle-même et piaffant d'impatience.

– Comme un limier sur une piste ?

– Exactement, patron. Vous savez comment elle est...

– Sur une piste... Je me demande...

Elle s'était souvenue de quelque chose et s'était

lancée sur une piste. L'avant-veille, elle avait téléphoné pour prévenir qu'elle serait de retour le lendemain. Pourquoi, dans ce cas, n'était-elle pas rentrée? Peut-être qu'à l'heure actuelle, elle s'était laissée entraîner dans une série de mensonges dont elle ne pouvait se dépêtrer.

Si elle se trouvait vraiment sur une piste quelconque, elle serait furieuse de son intrusion par l'intermédiaire de la police... la police qui, de son côté, ne prendrait probablement pas son angoisse au sérieux pensant immédiatement – comme toujours – à la femme qui a quitté son époux.

Se décidant brusquement, Beresford annonça :

– Je la trouverai tout seul ! Enfin, elle a bien dû laisser une trace de son passage quelque part ! Quelle sotte de ne pas avoir dit d'où elle vous téléphonait.

– Un gang l'a peut-être séquestrée...

– Oh ! Albert, vous ne croyez plus à ces romans pour adolescent, à votre âge?

– Qu'avez-vous l'intention de faire, patron?

– Je me rends à Londres où je déjeunerai à mon club en compagnie du docteur Murray qui doit avoir quelque chose à me confier au sujet de ma défunte tante... Il sera peut-être à même de me mettre sur une piste. N'oublions pas que le « Coteau Ensoleillé » est à la source de toute cette histoire... et à ce propos, je vais emporter avec moi, le tableau accroché dans ma chambre.

– Vous allez le montrer à Scotland Yard?

– Non, à un musée de peinture de Bond Street.

XI

# BOND STREET ET LE DOCTEUR MURRAY

## I

Sortant du taxi qu'il venait d'emprunter, Beresford saisit sur le siège arrière, un paquet rectangulaire mal ficelé, qu'il mit sous son bras, pour pousser la porte du « New Athenian » une des galeries d'art les plus renommées de Londres.

Tommy n'était pas particulièrement ce qu'on appelle un mécène, mais un de ses jeunes amis « officiait » au « New Athenian ». « Officier » était le mot approprié dans ce lieu exclusif où l'on s'exprimait à voix basse, où l'on souriait d'un air entendu, où l'on affectait un comportement plein d'onction.

Un jeune homme blond se présenta et un beau sourire éclaira son visage quand il reconnut le visiteur.

– Tommy ! Il y a longtemps que je ne vous ai vu. Que tenez-vous là ? Ne me dites pas qu'à votre âge, vous avez décidé de vous mettre à la peinture ? Beaucoup trop le font, hélas ! et le résultat est généralement déplorable.

– L'art n'a jamais été mon faible, Robert. Au

vrai, je viens réclamer votre opinion d'expert. Que pensez-vous de ceci?

Et il tendit le paquet que son ami défit d'un geste souple pour découvrir le tableau qu'il posa contre le dossier d'une chaise. S'éloignant de quelques pas, le garçon cligna des yeux, fit plusieurs contorsions, pour se tourner finalement vers son ami.

– Que voulez-vous que je vous dise? Vous avez l'intention de le vendre?

– Pas du tout. Je désire que vous me communiquiez tout ce que vous pouvez savoir à son sujet. D'abord, de qui est-il?

– Si vous aviez voulu le vendre, vous n'auriez eu aucun mal à trouver un acheteur. Il y a dix ans, cela aurait été plus difficile, mais Boscowan revient à la mode.

– Boscowan? J'ai bien remarqué que la signature commençait par un B mais le reste est indéchiffrable.

– Aucun doute, c'est un Boscowan. Il était très populaire, il y a environ vingt-cinq ans. Il a eu plusieurs expositions, tant le public était fou de sa manière. Du point de vue technique, c'est un maître. Et puis, comme cela arrive toujours, on l'a oublié pour l'idolâtrer à nouveau, ces derniers temps.

– Peint-il encore?

– Il est mort depuis quelques années, à l'âge de soixante-cinq ans, je crois. Il a laissé beaucoup de toiles. En fait, nous avons l'intention, d'ici cinq ou six mois, de lui consacrer une exposition. Je suis sûr que ça marchera très bien. D'où vient votre intérêt, Tommy?

– Ce serait trop long à vous expliquer. Une histoire assez compliquée et plutôt stupide. Ce que j'aimerais apprendre c'est ce que vous pourriez avoir entendu sur son compte et aussi où se trouve la maison qu'il a représentée ici.

– Impossible de vous renseigner sur ce dernier point. C'est le genre de site qu'il choisissait. Une maison isolée, une ferme abandonnée, rencontrées au hasard de ses voyages. Des scènes rurales, une ou deux vaches, un tombereau au loin. Parfois, une église vue en France. Cela me rappelle que nous avons quelque chose de lui, une église normande. Attendez, je vais vous la faire monter tout de suite.

Se rendant près d'un escalier qui communiquait avec le sous-sol, il se pencha sur la rampe pour lancer un ordre et un instant plus tard, il venait poser sur une autre chaise un petit tableau assez semblable au premier.

– Voilà !

– Je comprends, à présent, ce que ma femme voulait dire lorsqu'elle déclarait que personne ne vivait dans la maison près du canal. Cette église... Elle donne l'impression qu'aucun fidèle n'y allait jamais prier. Il se dégage des deux tableaux une atmosphère d'abandon, de solitude, d'isolement.

– Votre femme a raison. Boscowan ne s'intéressait pas aux personnages et ses paysages comportent, au plus, une vague silhouette par-ci par-là... Je pense que c'est ce qui fait son succès à l'heure actuelle. Nous vivons les uns sur les autres, dans le bruit et les angoisses journalières; il est bon de se reposer l'esprit en contemplant des scènes champêtres.

– Quel genre d'homme était ce Boscowan?

– Je ne l'ai pas connu personnellement. Je puis, toutefois, vous assurer qu'il avait une haute opinion de lui-même, qu'il était d'un caractère enjoué et manifestait un vif penchant pour le beau sexe.

– Vous n'avez pas la moindre idée de l'endroit où peut se trouver cette maison? Elle est sûrement en Angleterre...

– Aucun doute là-dessus. Voulez-vous que je me renseigne?

– Cela me rendrait service.

– Le mieux serait que vous vous adressiez à sa femme, sa veuve, plus exactement. C'est Emma Wing, sculpteur, très connue. Une artiste qui produit peu mais dont les œuvres ont beaucoup de caractère. Elle habite Hampstead. Si je vous donne son adresse, vous pourriez aller la voir. Nous avons échangé pas mal de correspondance avec elle, ces derniers temps, au sujet de cette exposition que nous espérons organiser. Nous avons l'intention d'y présenter quelques-unes de ses sculptures.

Il alla consulter un grand carnet et écrivit l'adresse sur une carte qu'il tendit à son ami.

– Je ne devine toujours pas où est votre intérêt dans tout cela, mais vous avez toujours été un homme de mystère. Ce tableau que vous avez est un bon exemple du travail de Boscowan. Nous serons peut-être heureux de vous l'emprunter pour notre exposition. Je vous enverrai une carte pour vous le rappeler un peu avant la date de l'ouverture.

– Vous ne connaîtriez pas une Mrs Lancaster, par hasard?

– Ma foi... il ne me semble pas. Est-ce une artiste?

– Non. Je vous demande cela parce que c'est à elle qu'appartenait ce tableau avant qu'elle ne le donne à une de mes vieilles tantes.

– Le nom ne me rappelle rien. Parlez-en plutôt à Mrs Boscowan. Elle saura peut-être de qui il s'agit.
– Comment est-elle cette femme-sculpteur?
– Une forte personnalité. Vous ne manquerez pas de vous en apercevoir, mon vieux.
Il prit le tableau et le tendit à un de ses aides avec l'ordre de l'emballer.
– Ce doit être agréable d'avoir ainsi plusieurs esclaves à votre service.
– Je l'admets. Avez-vous le temps de déjeuner avec moi?
– Je regrette. J'ai rendez-vous à mon club avec un médecin.
– Vous n'êtes pas malade, au moins?
– Pas du tout. Celui que je vais voir, doit me renseigner sur un cadavre. Merci pour votre aide. Au revoir, vieux.

## 2

Tommy, accueillant le médecin, était intrigué. Il ne se doutait pas que ce dernier allait lui rappeler un détail oublié au moment de la mort d'Ada Fanshawe, mais pourquoi avait-il refusé de préciser ce qui le préoccupait, au téléphone?
Échangeant une poignée de main, Murray s'excusa :
– Je suis un peu en retard, mais la circulation est très dense et je connais assez mal cette partie de Londres.
– Si j'avais su, j'aurais pu vous rencontrer en un lieu qui vous convienne mieux.
– Seriez-vous en vacances?

– Je reviens d'une conférence qui m'a retenu quelques jours et je profite d'un repos bien gagné.

Lorsque les deux hommes furent confortablement installés, le médecin attaqua :

– Je suis sûr que j'ai éveillé votre curiosité. Il se trouve qu'au « Coteau Ensoleillé » nous avons un petit problème assez embêtant. Cela n'a rien à voir avec vous, dans un sens, mais peut-être pourriez-vous nous aider à éclaircir le mystère.

– Si je puis vous être utile... Cela aurait-il un rapport avec ma tante, Miss Fanshawe ?

– Oui et non. Je puis compter sur votre discrétion, j'espère ?

– Certainement.

– Il est possible que l'affaire doive être remise entre les mains des autorités. Pour l'heure, c'est encore trop tôt.

– Quelque chose s'est passé au « Coteau Ensoleillé » ?

– Une pensionnaire est morte, une certaine Mrs Moody. Vous lui avez peut-être parlé ou votre tante aura fait allusion à elle...

– Je ne m'en souviens pas.

– Elle n'était pas très âgée, et sa santé ne nous donnait aucune inquiétude. Elle était venue chez nous simplement parce qu'il ne lui restait plus de proches parents et qu'elle ne pouvait se débrouiller seule dans son appartement. Elle entrait dans la catégorie de ce que j'appelle « le bataillon des vieilles poules affolées » courant toujours après les infirmières pour réclamer le dîner qu'elle venait juste de terminer...

– Mais c'est Mrs Cacao !

– Je ne comprends pas ?...

– Ma femme et moi l'avons vue un jour, cherchant son infirmière et demandant sa tasse de cacao qu'apparemment elle avait bue. Une charmante petite vieille... Ainsi, elle est morte ?

– L'événement en soi ne m'a pas tellement surpris. Il est impossible de prévoir à quel moment le cœur d'une personne âgée s'arrêtera de battre. La mort de Mrs Moody m'a cependant étonné, car elle s'est éteinte durant son sommeil sans avoir présenté le moindre signe de maladie. Je n'ai pu m'empêcher de juger sa mort trop soudaine. – Après une pause, il reprit. – Nous autres, praticiens, sommes souvent confrontés à des choix difficiles. Par exemple, si le décès d'un de nos clients nous paraît dû à une cause non naturelle, notre devoir nous dicte de procéder à une autopsie. Si la famille qui, en règle générale s'oppose à ce genre d'intervention, refuse, elle nous oblige à réclamer une autorisation officielle. Que le résultat de l'autopsie n'apporte rien et voilà notre réputation bien compromise. Pour le cas Moody, heureusement, la famille qui n'est composée que de cousins éloignés, ne s'est pas opposée à l'autopsie et celle-ci s'est révélée intéressante. En effet, j'ai trouvé le cœur de la défunte en parfait état et rien, en apparence, n'avait provoqué sa mort – levant la main pour empêcher son auditeur de l'interrompre – Mrs Moody a succombé à l'absorption d'une dose mortelle de morphine.

– Fichtre !

– Incroyable, n'est-ce pas ?... mais incontestable. La question qui se pose, dès lors, c'est : comment a-t-elle pu boire cette morphine ? Je ne lui ai jamais prescrit cette drogue. Si elle avait pris la potion d'une malade par inadvertance... les infirmières s'en seraient aperçues et l'auraient signalé à Miss Packard. Un suicide? Ce n'était pas son genre. Son seul souci était son cacao ou ses repas qu'elle ne se souvenait jamais d'avoir pris. Je tiens à vous signaler, entre parenthèses, qu'aucune de nos pensionnaires n'a accès au cabinet où sont enfermées nos drogues et que nous n'acceptons pas les morphinomanes. Avec Miss Packard, j'ai vérifié notre registre des décès qui compte sept cas en un an, ce qui, dans un établissement comme le nôtre, n'a rien d'étonnant si nous considérons les bronchites qui se déclarent en hiver. Mais, parmi ces sept cas, deux nous laissent perplexes, parce qu'inexplicables. Il nous faut donc accepter l'hypothèse qu'au « Coteau Ensoleillé » il y a une meurtrière.

Les deux hommes restèrent un moment silencieux, puis en soupirant, Beresford déclara :

– Ne croyez pas que je doute de vos paroles, docteur, mais... pensez-vous vraiment qu'il en soit ainsi?

– Indubitablement. Je vous citerai, par exemple, un cas pathologique similaire, celui d'une femme qui se plaça dans différentes maisons, comme cuisinière. Une femme apparemment douce, serviable, aimant ses maîtres. Or, à plus ou moins brève échéance, un ou plusieurs membres de la famille qu'elle servait, mouraient empoisonnés. De l'arsenic était ajouté dans des sandwiches et il semble qu'aucune raison n'ait décidé du choix des victimes. Dans certaines des maisons où elle se plaçait, personne ne mourait, mais au bout de quelques mois, elle s'installait chez d'autres et presque aussitôt, des gens succombaient après avoir mangé du bacon pour leur petit déjeuner. La police eut bien du mal à mettre la main sur la meurtrière qui se déplaçait à travers l'Angleterre, en changeant toujours de nom.

– Quelqu'un a-t-il découvert pourquoi elle empoisonnait ses employeurs ?

– Je ne pense pas, à part les psychiatres qui se vantent de pouvoir tout expliquer. C'était une femme pieuse et il est possible qu'elle se soit crue guidée par Dieu pour purger le monde d'une certaine catégorie d'individus, sans qu'elle éprouvât la moindre animosité à leur égard.

Je me souviens encore d'une affaire à peu près semblable. Il s'agissait d'une Française, Jeanne Gebron, surnommée l'« Ange de la Miséricorde ». Dès qu'elle apprenait qu'un enfant du voisinage était malade, elle accourait à son chevet pour le soigner avec dévouement. Là encore, ce n'est que bien plus tard, que l'on s'aperçut que les petits qu'elle choyait tant, *ne recouvraient jamais la santé. Ils mouraient tous.* Comment expliquer la passion criminelle de cette femme ? On apprit qu'elle avait perdu son propre enfant encore jeune et que le chagrin l'avait traumatisée. Jugeant son malheur injuste, elle a peut-être éprouvé une jalousie maladive, à l'égard des mères plus heureuses qu'elle. Certains ont toutefois déclaré que son propre enfant avait été sa première victime.

– Vous me donnez des frissons dans le dos !

– J'ai choisi deux cas particulièrement tragiques et l'affaire du « Coteau Ensoleillé » est probablement beaucoup moins complexe. Vous vous souvenez, sans doute, d'Amstrong, cet hypersensible qui invitait à prendre le thé toute personne qui l'insultait ou l'offensait – et ces injures dont il se croyait victime, n'existaient bien souvent que dans son esprit malade – et leur présentait des sandwiches à l'arsenic. Ses premiers crimes servirent ses intérêts, puisqu'il commença par éliminer ses proches parents qui l'empêchaient d'accéder à un gros héritage, puis sa femme, parce qu'il désirait épouser une fille très jeune.

Je pourrais vous citer aussi le cas de l'infirmière Warriner qui tenait une maison pour retraités et prenait tout ce que possédaient ses nouveaux pensionnaires, leur promettant en échange, une vieillesse confortable jusqu'à leur mort, laquelle ne se faisait pas attendre. Là aussi, le poison était la morphine... Une personne très obligeante et dépourvue de scrupules. Il semblerait qu'elle se soit prise pour une bienfaitrice.

– Vous ne soupçonnez absolument pas qui pourrait être la meurtrière au « Coteau Ensoleillé »?

– Nous n'avons aucun indice. Si nous avons affaire à une folle, comment la démasquer? Certains symptômes de la démence sont très difficiles – voire impossibles – à déceler. S'agit-il de quelqu'un qui hait les personnes âgées parce qu'une vieille femme lui aura gâché sa vie?... ou pesé sur son avenir d'une manière désastreuse? S'agit-il de quelqu'un qui estime que toute personne ayant dépassé la soixantaine doit être gentiment exterminée? Est-ce une de nos pensionnaires? Une infirmière? Une femme de ménage?

Millicent Packard et moi avons étudié la question à fond, mais Miss Packard – qui est un merveilleuse organisatrice et une personnalité admirable – n'a pas le moindre soupçon quant à l'identité de la meurtrière.

– Pourquoi êtes-vous venu à moi?

– Eh bien ! voilà. Votre tante, Miss Fanshawe, qui a vécu bien des années dans notre établissement, était une personne très perspicace, quand bien même il lui arrivait de prétendre le contraire. J'aimerais que vous et votre épouse, essayiez de vous souvenir si elle a fait devant vous une remarque qui pourrait nous mettre sur la voie. Une allusion à un détail noté au passage, une phrase dite par une de ses voisines, ou même un incident qui lui aura paru bizarre. Une vieille dame voit et surprend bien des choses, et Miss Fanshawe était suffisamment clairvoyante pour avoir percé bien des petits drames qui se déroulaient au « Coteau Ensoleillé ».

– Je regrette de ne pouvoir vous être utile, docteur, mais je ne me souviens pas d'avoir entendu ma tante me confier quoi que ce soit dans ce sens.

– Pensez-vous que, de son côté, votre femme pourrait avoir gardé à l'esprit une réflexion de votre tante qui ne vous aurait pas frappé ?

– Je le lui demanderai, mais j'en doute. – Il hésita avant d'attaquer. – Écoutez... il y a quelque chose qui a intrigué ma femme. C'est au sujet d'une de vos pensionnaires, Mrs Lancaster.

– Mrs Lancaster ?

– Ma femme s'est mis en tête que cette vieille dame a été emmenée un peu trop brusquement par une soi-disant parente. Il se trouve que Mrs Lancaster a donné un petit tableau à ma tante et que nous voudrions lui demander si elle désire le récupérer. Or, ma femme n'arrive pas à retrouver votre ancienne pensionnaire. Elle lui a écrit à l'hôtel où elle devait descendre avec sa parente. Mrs Johnson, et elle a appris que ces dames n'y avaient jamais retenu de chambre.

– Tiens ! Voilà qui est pour le moins bizarre.

– C'est ce qu'a tout de suite pensé Tuppence. Elle s'est ensuite adressée au notaire qui, paraît-il, avait recommandé « Le Coteau Ensoleillé » aux Johnson pour leur parente, mais il n'a pu que lui indiquer l'adresse d'une banque. Et les banques, comme vous le savez sans doute, ne divulguent aucun détail concernant leurs clients.

– Non, bien sûr.

– Ma femme a donc écrit à Mrs Lancaster puis à Mrs Johnson par l'intermédiaire de cette banque. Elle n'a jamais obtenu de réponse de l'une ou de l'autre.

– Peut-être les Johnson ont-ils emmené leur tante à l'étranger ?

– C'est probable et en ce qui me concerne, l'affaire s'arrête là. Cependant, ma femme n'a cessé de se demander où était passée Mrs Lancaster et m'a confié, il y a une semaine, que durant mon absence, elle allait se consacrer à poursuivre une petite enquête personnelle. Je ne sais exactement ce qu'elle se proposait d'entreprendre... peut-être aller trouver le notaire ou la banque.

Murray écoutait son interlocuteur sans grand intérêt. Il s'enquit poliment :

– Que pensait-elle, en réalité ?

– Que Mrs Lancaster courait un danger quelconque... et même que quelque chose avait pu lui arriver...

Le médecin haussa les sourcils sans dire mot.

– Cela va peut-être vous sembler idiot... Ma femme s'est absentée trois jours. Elle a téléphoné avant-hier pour informer notre domestique qu'elle rentrerait le lendemain... et *elle n'est pas encore rentrée.*

– Elle a vraiment précisé quand elle serait de retour?

– Absolument. Elle savait que, de mon côté, je devais revenir d'une conférence.

– Et son absence prolongée vous étonne?

– Ce n'est pas le genre de Tuppence, d'agir ainsi. Si elle avait été retenue ou avait changé son plan, elle aurait téléphoné ou m'aurait envoyé un télégramme.

– Et maintenant, vous vous faites du souci?

– Oui.

Murray réfléchit un moment avant de questionner:

– Avez-vous alerté la police?

– A quoi bon? Je n'ai aucune raison de croire que ma femme soit en peine et si elle avait eu un accident, avec tous les papiers qu'elle a sur elle, nous en serions informés à l'heure qu'il est.

Murray se taisait, ne sachant que suggérer. Bientôt Tommy reprit:

– Et maintenant, vous venez de me parler de ces morts mystérieuses au « Coteau Ensoleillé ». Supposez que cette vieille chatte ait découvert quelque chose de suspect et se soit mise à faire connaître son opinion à la ronde... Quelqu'un ayant eu intérêt à l'obliger à se taire, aurait pu la retirer de votre établissement pour l'isoler. Je ne sais pourquoi mais je ne puis m'empêcher de croire que toute cette affaire se tient.

– Je dois admettre que c'est étrange... Qu'allez-vous décider?

– Je vais procéder, à mon tour, à une petite enquête, et commencer par rendre visite à ce notaire. Il n'a peut-être rien à voir dans tout cela, mais j'aimerais le rencontrer et tirer de notre entretien, mes propres conclusions.

XII

# TOMMY RETROUVE UN VIEIL AMI

## 1

Du trottoir opposé, Beresford observa les locaux de Messrs Partingale, Harris, Lockeridge and Partingale.

Ils affichaient une respectabilité vieux jeu par excellence et la plaque de cuivre qui brillait près de la porte principale était lisse, patinée par le temps.

Tommy traversa la chaussée et poussa le lourd battant. Un cliquetis de machines à écrire lancées à toute allure, lui arriva de derrière un guichet marqué « Renseignements » auquel il alla s'accouder, et qui ouvrait sur une petite pièce où travaillaient trois sténo-dactylos et deux clercs. L'atmosphère était imprégnée de l'odeur qui traîne dans les vieux parchemins.

Une blonde fade, à l'air sévère, abandonna sa machine pour recevoir le visiteur.

– Vous désirez, monsieur?

– Voir Mr Eccles.

– Vous avez rendez-vous?

– Non. Je suis seulement de passage à Londres pour la journée.

– Mr Eccles est très occupé ce matin. Peut-être pourriez-vous consulter un autre membre de la firme...

– Je préférerais avoir affaire à Mr Eccles, car il est au courant de ce qui m'amène.

– Attendez un instant. Voulez-vous me donner votre carte?

Tommy s'exécuta et l'employée s'en fut décrocher son téléphone. Lorsqu'elle revint, elle annonça:

– Un clerc va vous conduire à la salle d'attente, Mr Beresford, et Mr Eccles vous recevra dans une dizaine de minutes.

Le clerc laissa Beresford dans une pièce où quelques fauteuils confortables tenaient compagnie à une table chargée de magazines. Une étagère-bibliothèque pleine de gros livres reliés occupait un panneau mural. Tout en attendant, Tommy mit au point son plan d'attaque, tout en se demandant quelle serait l'attitude du notaire à son égard.

Dès qu'il aperçut Eccles, il le jugea antipathique. Pourtant l'homme qui se leva à son entrée pour lui serrer la main, n'avait rien, dans son apparence, qui pût inspirer méfiance. Son visage, que marquait la cinquantaine, reflétait une expression triste et froide. Seuls les yeux semblaient vivre et le sourire mécanique qui éclairait parfois ses traits, rendait plus saisissante sa mine mélancolique.

– Mr Beresford?

– Lui-même. Je crains que vous jugiez l'affaire qui m'amène bien insignifiante, mais elle préoccupe ma femme. Je crois que mon épouse vous a écrit, peut-être même, téléphoné, pour vous demander de lui communiquer l'adresse d'une certaine Mrs Lancaster.

– Mrs. Lancaster, répéta l'homme de loi d'un ton neutre.

Sans se laisser impressionner par sa remarque parfaitement détachée, Tommy reprit :

– Jusqu'à ces derniers temps, cette dame a vécu dans une pension pour dames âgées, une maison très respectable. En fait, une de mes tantes, y vivait aussi.

– Je me souviens, à présent. Mrs Lancaster... Il me semble qu'elle n'est plus dans cet établissement. Je ne me trompe pas ?

– C'est parfaitement exact.

– Je ne me rappelle plus très bien... Vous permettez que je rafraîchisse ma mémoire ?

Il lança un ordre dans son interphone et tandis qu'ils attendaient, Beresford enchaîna :

– Ma femme désire obtenir l'adresse de cette Mrs Lancaster parce qu'elle est en possession d'un tableau qui appartenait à cette vieille dame. Ma tante qui admirait beaucoup la toile, l'a reçue de Mrs Lancaster et lorsqu'elle est morte, il y a environ un mois, nous avons hérité de tous ses biens. Ayant appris d'où provenait le tableau, ma femme a l'intention de le rendre à sa propriétaire, au cas où cette dernière aimerait le récupérer. Au fond, il n'y a aucune raison pour que ma femme et moi le gardions alors qu'il avait été offert à ma tante.

– Je vous comprends et votre geste est certainement très respectable.

– On ne sait jamais quelle réaction peut avoir une personne âgée. Mrs Lancaster était sans doute ravie d'offrir le tableau à une pensionnaire avec laquelle elle sympathisait, mais elle aimera sans doute mieux le retrouver que de le savoir chez des inconnus. Il ne porte pas de titre et représente seulement une maison de campagne. Il se peut que cette maison ait appartenu à la famille Lancaster.

– Oui, oui... mais je ne pense pas...

Un coup discret frappé à la porte interrompit le notaire et sur son invitation, un employé lui tendit une feuille dactylographiée. La consultant, Eccles congédia le garçon puis, levant les yeux sur son visiteur, déclara :

– Je me souviens parfaitement, à présent. Mrs Beresford m'a, en effet, téléphoné et je lui ai conseillé d'écrire à Mrs Richard Johnson, aux bons soins de la Southern Counties Bank, succursale d'Hammersmith, la seule adresse que je possède. C'est Mrs Johnson, une nièce ou cousine éloignée de Mrs Lancaster qui s'est mise en rapport avec moi pour arranger l'entrée de sa parente au « Coteau Ensoleillé » dont une amie lui avait dit beaucoup de bien. Nous avons pris tous les renseignements nécessaires sur l'établissement et je crois savoir que Mrs Lancaster y a passé d'heureuses années.

– Elle en est cependant partie... assez brusquement.

– En effet. Les Johnson, rentrant du Kenya où ils ont vécu plusieurs années, ont décidé de reprendre leur parente avec eux, mais comme ils ne se sont pas encore définitivement fixés en Angleterre, ils n'ont pu me fournir d'adresse permanente. Mrs Johnson m'a néanmoins écrit pour régler nos comptes et m'a laissé l'adresse de sa banque pour le cas – bien improbable – où nous aurions besoin de nous mettre en rapport avec elle. Voilà, Mr Beresford, tout ce que je sais.

Tout cela fut dit poliment, mais sur un ton ferme.

Remarquant l'hésitation de son vis-à-vis, le notaire reprit avec un accent presque paternel :

– A votre place, je ne me ferais pas de soucis à propos de cette affaire, Mr Beresford. Rassurez votre épouse. Mrs Lancaster a probablement oublié l'existence de ce tableau. Elle a soixante-quinze ou soixante-seize ans et, à son âge, il est assez commun d'avoir des trous de mémoire.

– La connaissez-vous personnellement?

– Non, je ne l'ai jamais vue.

– Et Mrs Johnson... ?

– Elle est venue me consulter pour fixer les arrangements à propos du « Coteau Ensoleillé ». Une femme très plaisante. – Se levant, il conclut : Je regrette, Mr Beresford, mais ce sont là tous les renseignements que je possède.

Ainsi congédié, son visiteur ne put que battre en retraite.

Tommy ressortit dans Bloomsbury Street et décida de prendre un taxi à cause de son paquet qui l'encombrait beaucoup. Jetant un dernier coup d'œil sur le bâtiment qu'il venait de quitter, il persista dans son opinion : malgré son air respectable, cadrant parfaitement avec l'allure de la firme pour laquelle il travaillait, Mr Eccles lui laissait une impression désagréable. Ce n'était qu'une impression, bien sûr, relevant d'une intuition acquise au long de ses années d'expérience et qui lui dictait instinctivement un jugement spontané sur toute personne avec laquelle il se trouvait confronté.

« Eccles s'exprime bien, il a l'air sérieux, rien ne cloche dans son apparence et cependant... » Il héla un taxi qui approchait, mais le chauffeur le voyant, accéléra. Beresford poussa un juron étouffé.

Regardant autour de lui, Tommy dévisagea les passants et ses yeux accrochèrent la silhouette d'un homme qui lui tournait le dos sur le trottoir d'en face, apparemment occupé à lire une enseigne. Comme il se retournait, Tommy eut l'impression de l'avoir déjà vu. Il l'observa qui longeait nonchalamment le trottoir sans trop s'éloigner. Dans le dos de Beresford, quelqu'un poussa la porte qu'il avait franchie, quelques instants plutôt, et dans la silhouette du nouveau venu qui se mêlait à la foule, Tommy crut reconnaître Mr Eccles. Dans le même temps, le flâneur d'en face, sans traverser la rue, emboîta le pas au notaire. Comme un nouveau taxi arrivait à sa hauteur, le mari de Tuppence leva le bras et cette fois, le chauffeur daigna s'arrêter.

Sur le point de donner une adresse dans Hampstead, Tommy hésita, puis décida :

– 14 Lyon Street, s'il vous plaît.

Un quart d'heure plus tard, parvenu à sa destination, il sonnait à la porte d'une maison particulière et demandait à parler à Mr Ivor Smith. Lorsqu'il fut introduit dans une large pièce située au second étage, un homme assis à une table devant la fenêtre, se retourna en s'exclamant :

– Tommy ! quelle bonne surprise ! Il y a bien longtemps que je ne vous ai vu. Vous vous décidez enfin à rendre visite à vos anciens amis ?

– Ce n'est pas aussi simple que cela, Ivor.

– Vous revenez, sans doute, de la conférence annuelle... A-t-elle été aussi vide en résultat que les précédentes ?

– Une pure perte de temps.

Il prit place sur le siège que lui indiquait son ami et accepta une cigarette avant d'attaquer :

– Je viens vous trouver parce qu'il est possible que vous soyez capable de me renseigner sur un certain Eccles, notaire de la firme Partingale, Harris, Lockeridge and Partingale.

Ivor Smith haussa les sourcils, ce qui lui donna l'expression d'un homme qui vient d'entendre une déclaration abasourdissante, un tic commun bien connu de ses amis.

– Tiens, tiens... vous êtes donc tombé sur Eccles?

– L'ennui est que je ne sais rien de lui.

– Et vous voulez que je vous éclaire sur son compte. Pourquoi vous adressez-vous tout particulièrement à moi?

– Eh bien! parce que j'ai reconnu Anderson qui faisait le planton devant la firme en question et même, je l'ai vu filer un personnage qui ressemble beaucoup à cet Eccles.

– J'ai toujours admiré votre flair infaillible, Tommy.

– Qui est Eccles?

– Ne le savez-vous pas?

– Ma foi, non. Je vous dirai brièvement que je suis allé le trouver pour obtenir des renseignements sur une vieille dame qui a récemment quitté une maison de retraite dans laquelle il l'avait fait entrer à la demande d'une de ses parentes... Je voulais qu'il me donne l'adresse actuelle de cette dame, mais il affirme ne pas la connaître. Seulement, je ne suis pas complètement satisfait de sa réponse... Voyez-vous, il est la seule piste qui puisse me mener à elle.

– Parce que vous voulez la retrouver?

– Exactement.

– Je ne crois pas pouvoir vous être d'une grande utilité, là-dessus. Eccles est un notaire honorable qui gagne largement sa vie, possède une clientèle importante et incarne la respectabilité elle-même. J'imagine, d'après ce que vous me dites, qu'il s'est conduit en notaire digne de la confiance que lui accorde une de ses clientes.

– Et cependant... vous vous intéressez à lui?

– Nous nous intéressons beaucoup à Mr James Eccles. – Soupirant, il confessa. – Et cela, depuis au moins six ans... mais nous ne sommes guère plus avancés que le premier jour.

– Mais, qui est-il, en fait?

– Vous voulez dire: de quoi le suspectons-nous? En un mot d'être l'un des cerveaux organisateurs de la plus importante entreprise criminelle de ce pays.

Beresford eut un mouvement de surprise.

– Entreprise criminelle?

– Parfaitement. Il ne s'agit pas de roman de cape et d'épée, ni d'espionnage ou de contre-espionnage, mais d'une organisation criminelle. Cet homme, autant que nous le sachions, n'a jamais, de sa vie, commis un acte répréhensible. Pas de vol, pas de faux, pas de détournements de fonds, en un mot, nous ne pouvons rien lui reprocher. Néanmoins chaque fois que se produit un important hold-up, ayant nécessité une laborieuse préparation, nous trouvons, quelque part à l'arrière-plan, cet Eccles et sa vie exemplaire.

– Et cela depuis six ans, murmura pensivement Tommy.

– Plus, peut-être. Il nous a fallu un certain temps pour constituer un dossier intéressant. Nous avons rassemblé tous les crimes dont nous avions connaissance et qui furent exécutés selon une même technique, laquelle, à notre avis, avait été élaborée et mise au point par un seul homme, les autres membres de la bande ne faisant qu'agir à la façon d'une armée de marionnettes bien dressées.

– Et qu'est-ce qui vous pousse à croire que Eccles est la base sur laquelle repose tout l'édifice?

Ivor hocha pensivement la tête.

– Ce serait trop long à vous expliquer: Eccles, voyez-vous, a un cercle d'amis, de connaissances, très varié: ses partenaires au golf, les garagistes qui entretiennent sa voiture, les agents de change qui veillent sur ses intérêts. Il s'occupe de différentes entreprises sur lesquelles il n'y a rien à dire. La marche de l'organisation criminelle qui retient notre attention nous devient plus familière – si je puis dire – après chaque nouvel exploit, mais nous ne progressons toujours pas dans notre enquête sur Eccles, bien que nous ayons découvert qu'au moment où un coup important occupe la première page des journaux, le notaire se trouve à plus de cent milles de là: Monte-Carlo, Zurich, ou la Norvège où il se distrait en pêchant le saumon.

– Et c'est ce détail qui vous le désigne comme le chef?

– Jusqu'ici, oui. Je ne sais si nous l'attraperons jamais. Les types qui font le sale boulot et sur lesquels nous mettons la main tôt ou tard, ne le connaissent pas. Leur seul contact étant le plus souvent un comparse qui reçoit ses ordres par téléphone ou d'un inconnu qu'il ne voit qu'une fois.

– Le bon plan classique, quoi!

– Plus ou moins. Cependant, nous ne désespérons pas de tomber un jour sur une pièce à conviction solide.

– Eccles est-il marié?... a-t-il une famille?

– Aucun espoir de ce côté. Il vit avec sa gouvernante, un valet de chambre et un jardinier. Il invite parfois des amis mais je puis vous assurer que les gens qui franchissent le seuil de sa maison, sont d'une réputation à toute épreuve.

– Et dans tout ça, personne ne s'enrichit?

– Question intéressante, Thomas. Quelqu'un *devrait* s'enrichir, attirer l'attention par sa prospérité soudaine. Mais tout est tellement bien étudié qu'il nous est absolument impossible d'intervenir. Nous ne pouvons arrêter tous ceux qui, apparemment, ont de la chance aux courses, font des transactions boursières heureuses, n'est-ce pas? Nous savons que des sommes très importantes sont investies à l'étranger et que l'argent change souvent de mains.

– Je vous souhaite bien du plaisir et j'espère que vous réussirez un jour à pincer votre homme.

– J'en serais sûr, si seulement nous parvenions à lui faire faire un faux pas.

– Oui... mais comment?

– En lui donnant l'impression qu'il est en danger. Nous le faisons suivre afin de le mettre mal à l'aise et tôt ou tard, son assurance craquera; c'est du moins ce que nous espérons. Mais, voyons maintenant ce que vous avez à voir avec notre homme. Peut-être allez-vous, vous-même, me fournir un indice intéressant?

– J'en doute car mon histoire est assez banale et ne relève pas du domaine du crime.

– Voyons?

Tommy lui raconta donc ce qu'il savait sur Mrs Lancaster, le tableau, la disparition de Tuppence et termina sur sa rencontre avec Eccles.

Loin de juger l'affaire insignifiante, Ivor revint au point saillant du récit de son ami.

– Vous dites que votre femme a disparu?

– Ce n'est pas l'habitude de Tuppence de me laisser si longtemps sans nouvelles.

– C'est donc sérieux.

– A mes yeux, oui.

– Je vous crois. J'ai eu l'occasion de rencontrer votre femme et elle m'a donné l'impression d'être une personne très équilibrée.

– Elle se laisse toujours guider par son intuition qui ne la trompe jamais.

– Vous ne vous êtes pas adressé à la police?

– Non. Je suis persuadé que rien de fâcheux ne lui est arrivé. Tuppence est très prudente et si elle guette son gibier, elle ne prend jamais de risques inutiles. J'imagine qu'elle est trop occupée pour me tenir au courant de ce qui la retient.

– Son silence prolongé est tout de même bizarre. Elle est partie à la recherche d'une maison? Le résultat de son enquête pourrait m'intéresser, car, de notre côté, nous gardons à l'œil certaines agences immobilières.

– Des agences immobilières?

– Des firmes pas très importantes, disséminées dans des petites villes provinciales. La maison pour laquelle travaille Eccles fait beaucoup de transactions avec ces firmes, représentant tantôt le vendeur, tantôt l'acheteur. Ces transactions, en général, rapportent peu au notaire, ce qui nous pousse à nous demander si elles ne serviraient pas de façade à une autre commerce. Si vous vous souvenez du fameux hold-up de la Southern Bank, qui a eu lieu il y a quelques années : une maison de campagne isolée servit de lieu de rendez-vous aux voleurs et de cachette pour le butin. A la campagne, les gens sont plus curieux qu'en ville et les villageois ont émis tant de conjectures sur les propriétaires, qu'un beau jour la police est venue faire une perquisition pour découvrir le pot aux roses. Trois hommes ont été arrêtés sur place.

– Mais alors, vous avez pu démasquer Eccles?

– Eh non! Aucun des trois gangsters n'a parlé. Ils n'ont fait qu'un an et demi de prison parce qu'on n'a rien pu prouver contre eux.

– Il me semble me souvenir qu'au moment du procès, un suspect a disparu de manière spectaculaire.

– C'est exact. Le coup a été monté d'une façon ingénieuse et a dû coûter gros. Après cette affaire, le chef de la bande a compris que faire d'une seule maison son quartier général, était trop risqué. Plusieurs demeures sont donc utilisées, dans différentes localités et louées pour une courte période à des familles apparemment très respectables. Tout cela, bien sûr, n'est que théorie, mais nous ne désespérons pas de mettre un jour le doigt sur un de ces repaires et attraper notre gibier. Si le butin d'un hold-up circule d'une maison louée à une autre et que nous puissions le surveiller de loin, il n'est pas douteux qu'un beau jour, il arrivera entre les mains de notre génie criminel. Supposons que la maison qui intéresse tant votre femme est, ou ait été un de ces repaires... Cela expliquerait son silence prolongé. Elle est peut-être en train de progresser dans l'enquête qui tient notre département en haleine depuis si longtemps.

– C'est, à mon avis, assez improbable.

– Qui sait? Dans le monde que je côtoie, ce genre d'improbabilité peut se produire.

## 2

Bien qu'assez fatigué après toutes ces démarches, Beresford, qui venait d'abandonner son quatrième taxi, ne put s'empêcher d'admirer le paysage. Il se trouvait dans un cul-de-sac, dominé par Hampstead Heath, ses vieux arbres et ses sous-bois. Les quelques maisons qui se dressaient autour de lui relevaient d'architectures variées et s'entouraient de jardins aux buissons touffus leur servant de protection contre les regards indiscrets. Celle devant laquelle il était, se composait de trois petites pièces rattachées à un immense studio d'artiste. Un escalier étroit peint en vert, menait à la porte ornée d'un marteau original.

Poussant la barrière en bois, le visiteur remonta une allée minuscule et actionna le lourd marteau. N'obtenant pas de réponse, il frappa à nouveau.

La porte s'ouvrit si brusquement qu'il faillit faire un bond en arrière et une femme s'encadra sur le seuil. A première vue, Tommy la trouva très commune avec son visage plat, ses gros yeux de couleur différente et son front bombé surmonté d'une touffe de cheveux ébouriffés. Elle portait une blouse écarlate, tachée çà et là de glaise, mais ses mains étaient parfaites.

D'une voix profonde, elle lança :

– Que voulez-vous? Je suis très occupée.

– Mrs Boscowan?

– Parfaitement.

– Je m'appelle Beresford. Pouvez-vous m'accorder un court entretien?

– Est-ce vraiment nécessaire? Vous venez me voir au sujet d'un tableau? fit-elle en indiquant le paquet qu'il tenait sous le bras.

– En effet. Un tableau de votre mari.

– Vous voulez le vendre? J'en ai déjà pas mal. Vous feriez mieux d'aller l'offrir à une galerie d'art. Pourtant, vous ne semblez pas avoir besoin d'argent?

Tommy trouvait difficile de parler à cette femme dont les yeux fixaient à présent par-dessus son épaule, le bout de la rue.

S'imposant un effort, le visiteur insista :

– Je vous en prie, accordez-moi quelques minutes. Ce que j'ai à vous confier est assez délicat.

– Si vous êtes un peintre, je ne veux pas vous parler car ces gens m'ennuient profondément. – Elle l'observa un moment. – Je dois dire que vous n'avez pas l'air d'un peintre, non plus. Plutôt d'un fonctionnaire de l'État. Elle prononça ces derniers mots avec un certain mépris.

– Puis-je entrer, Mrs Boscowan?

– Je ne sais pas. Attendez.

Elle lui ferma la porte au nez et réapparut au bout de quelques minutes.

– Entendu. Entrez.

Elle le guida le long d'un corridor et au haut d'un escalier donnant sur le studio. Là, régnait un désordre indescriptible. Au fond de la pièce, une sculpture ébauchée voisinait avec des ciseaux, des marteaux et une tête que supportait un socle.

– Il n'y a jamais de place pour s'asseoir, ici, remarqua l'artiste. Balayant d'un geste les objets amoncelés sur un tabouret, elle ordonna : Asseyez-vous là, je vous écoute.

– C'est très aimable à vous de me recevoir.

– Je l'admets, mais vous semblez tellement inquiet que je n'ai pas eu le courage de vous renvoyer. Quelque chose vous tourmente ?

– Oui. Ma femme.

– Oh !... Les hommes se font toujours du souci à propos de leur épouse. Que lui est-il arrivé ? Elle s'est enfuie avec un autre homme ?

– Pas du tout. Elle a disparu.

– Disparu... Et vous pensez que je sais où elle se trouve ? Eh bien ! parlez-moi d'elle. Je ne vous promets pas de vous aider à la retrouver. Qu'est-ce que le tableau a à voir dans l'affaire ? Car c'est bien un tableau que vous avez là ?

Tommy défit le paquet.

– Un tableau de votre mari.

– Je vois. Que voulez-vous savoir ?

– Quand et où il a été peint ?

La femme le regarda pour la première fois avec intérêt.

– Ma foi, Mr Beresford, je puis facilement vous renseigner là-dessus. Ce paysage a été peint il y a quinze ans... non, cela remonte à plus loin, vingt ans. C'est une de ses premières toiles.

– Vous connaissez l'endroit où se trouve cette maison ?

– Certainement. Je m'en souviens très bien. La maison près du canal qu'enjambe le pont en dos d'âne... Cette toile m'a toujours beaucoup plu... C'est une maison isolée, située non loin de Sutton Chancellor et à sept ou huit milles de Market Basing.

Elle s'approcha de la toile, sur laquelle elle se pencha.

– Tiens ! Comme c'est curieux...

Sans prêter grande attention à ses paroles, Tommy insista :

– Comment s'appelle la maison ?

– Je ne saurais vous dire. Je crois savoir qu'un ou deux drames s'y sont déroulés et que les propriétaires successifs ont changé le nom à plusieurs reprises. « Canal House », « Canal Side », « Bridge House »... un tas de noms moins originaux les uns que les autres.

– Qui l'habitait à l'époque ? et maintenant ?

– La première fois que je l'ai vue, un homme et une jeune fille y venaient passer les week-ends. A ma connaissance, ils n'étaient pas mariés. La fille était une danseuse ou une actrice... Non, il me semble bien qu'elle était danseuse. Elle était très belle mais complètement idiote. Simple d'esprit, presque folle, quoi. Je me souviens que William avait le béguin pour elle.

– A-t-il peint son portrait ?

– Non. Il a fait très peu de portraits, bien qu'il affirmait souvent vouloir se lancer dans cette direction. Il s'entichait toujours des jeunes filles qu'il rencontrait.

– Savez-vous ce qu'il est advenu de cet homme et de sa maîtresse ?

– Je n'étais pas sur place à l'époque, mais j'ai appris qu'ils se sont séparés brusquement à la suite d'une querelle. Après, je crois savoir qu'une gouvernante s'installa dans la maison avec un enfant. J'ignore d'où venait la petite, mais il me semble qu'au bout de quelque temps, elle est morte, à moins que la gouvernante l'ait emmenée ailleurs. Pourquoi vous intéressez-vous aux gens qui vivaient dans cette maison il y a vingt ans? Cela me paraît complètement idiot!

– Je veux découvrir tout ce que je puis sur cette maison, car ma femme est partie à sa recherche. Il paraît qu'elle l'a aperçue un jour de la fenêtre d'un train.

– C'est possible. La ligne de chemin de fer passe juste de l'autre côté du pont. La maison doit la surplomber. Mais pourquoi votre femme voulait-elle retrouver cette demeure?

Tommy exposa le plus brièvement possible l'histoire du tableau et lorsqu'il eut terminé, son interlocutrice lui demanda d'un ton soupçonneux:

– Vous ne sortiriez pas d'un asile de fous, par hasard?

Tommy eut un pâle sourire.

– J'admets que tout cela doit vous paraître bien tiré par les cheveux, mais c'est très simple, au fond. Ma femme voulant se renseigner sur la maison, a entrepris plusieurs voyages en voiture et aussi probablement en train, afin de la revoir de près. J'ai comme une idée qu'elle l'a bien découverte et qu'elle s'est rendue à Machin Chancellor.

– Sutton Chancellor. Un petit village insignifiant si je me souviens bien, mais peut-être à l'heure actuelle un centre commercial très moderne.

– En tout cas, ma femme a téléphoné pour dire qu'elle allait rentrer et elle n'est toujours pas de retour. Elle est probablement retournée voir la maison et s'est ainsi exposée à un danger quelconque.

– Qu'est-ce que cette demeure a donc de dangereux ?

– Nous n'avons jamais envisagé ce côté de l'aventure bien qu'il soit possible que ce détail ait inconsciemment intrigué ma femme.

– Elle me paraît douée d'un sérieux don d'observation ?

– Sans aucun doute. Vous n'avez jamais entendu parler ou connu une certaine Mrs Lancaster?... il y a vingt ans ou même ces derniers temps?

– Non. C'est un nom facile à retenir et je m'en souviendrais. Qui est-elle ?

– La vieille dame à qui appartenait ce tableau avant que nous en héritions de ma tante. Elle a quitté assez brusquement la maison de retraite où elle vivait. Ma femme et moi avons essayé de nous mettre en contact avec elle sans succès.

– Qui a le plus d'imagination dans votre ménage, votre femme ou vous? Vous me semblez être dans tous vos états, si je puis me permettre une remarque personnelle.

– Parce que vous pensez que je me fais du souci bien inutilement ?

– Pas du tout. – Après une courte pause, elle reprit : Il y a quelque chose qui m'intrigue dans ce tableau. Je me rappelle très bien que lorsque William me l'a montré, terminé...

– Vous souvenez-vous à qui il a été vendu; si toutefois il l'a été ?

– Je ne saurais dire. Il est parti avec plusieurs autres à la fin d'une exposition. Vous m'en demandez trop, Mr Beresford.

– Croyez que je vous suis très reconnaissant pour tout ce que vous venez de m'apprendre.

– Vous ne m'avez pas encore demandé ce qui m'intrigue dans cette toile.

– Vous voulez dire qu'elle n'est pas de votre mari?

– Si. Je connais parfaitement son style et il n'y a aucun doute là-dessus. Mais... – indiquant du doigt le bateau attaché près du pont – ce bateau ne figurait pas sur la toile la dernière fois que je l'ai vue.

– Quelqu'un l'aurait donc rajouté par la suite?

– Étrange, n'est-ce pas? Je me demande bien qui l'a peint, par exemple... et pourquoi?

Tommy ne savait que répondre. Il regarda l'artiste, que sa tante Ada aurait sûrement jugée écervelée, mais pour son compte, il commençait à apprécier sa forte personnalité. Si ses manières brusques et sa façon de sauter d'un sujet à l'autre l'avaient mis mal à l'aise, elles ne le choquaient plus. Mrs Boscowan paraissait savoir beaucoup de choses et peu encline à révéler le fond de sa pensée. Avait-elle aimé son mari, souffert de son penchant pour les jeunes filles qu'il rencontrait, ou l'avait-elle méprisé? Bien qu'elle cachât ses sentiments, son interlocutrice s'était montrée irritée en découvrant le bateau sur le tableau de son mari. Pouvait-elle vraiment se souvenir, après tant d'années, de tous les détails qui composaient une œuvre peinte quelque vingt ans plus tôt?

Mrs Boscowan, fixant son étrange regard sur le visiteur, demanda d'un ton rêveur :

– Qu'allez-vous décider, à présent?

– Je vais rentrer chez moi et si aucun message de

ma femme ne m'y attend, je me rendrai demain matin à Sutton Chancellor où j'espère la rencontrer.

– Cela dépend.

– Je vous demande pardon ?

L'artiste fronça les sourcils puis murmura :

– Où peut-elle bien se trouver ?

– Vous voulez parler de ma femme ?

Elle détourna les yeux.

– J'espère que rien ne lui est arrivé.

– Que pourrait-il lui arriver ? Mrs Boscowan, un danger quelconque plane-t-il autour de Sutton Chancellor ?

– Oh ! non, pas à Sutton Chancellor.

– Dans la maison du canal, alors ?

– C'était un endroit charmant, destiné à héberger des couples d'amoureux.

– Et lorsque quelqu'un d'autre vient y habiter...

– Vous suivez ma pensée, à ce que je devine. On ne doit pas contrarier l'atmosphère qui se dégage d'une maison, si vous voyez ce que je veux dire.

– Savez-vous quelque chose des personnes qui ont vécu dans cette maison ces dernières années ?

– Rien du tout. Cela n'a jamais eu aucune importance à mes yeux.

– Cependant, vous pensez à quelque chose... ou à quelqu'un ?

– Vous avez raison. Je pensais à... quelqu'un.

– Ne pouvez-vous m'en parler ?

– Il n'y a rien à raconter. Parfois on se demande brusquement où est une personne... ce qu'elle est devenue. Elle hocha la tête en balayant l'air d'un geste vague et d'une manière tout à fait inattendue, elle lui proposa :

– Vous voulez un hareng fumé?
– Un hareng fumé?
– Mais oui. J'en ai deux ou trois et j'ai pensé que vous devriez manger quelque chose avant d'aller prendre votre train. Pour Sutton Chancellor, c'est la gare de Waterloo. Je crois qu'il vous faudra changer à Market Basing.
C'était une façon à elle de mettre fin à leur entretien.

XIII

# ALBERT JOUE AU LIMIER

## 1

Tuppence ouvrit lentement les paupières et essaya de se relever. Un élancement aigu dans la tête la força à retomber sur son oreiller en poussant un gémissement et une fois de plus, elle replongea dans un trou noir.

Lorsqu'elle reprit conscience, elle regarda prudemment autour d'elle et réalisa qu'elle se trouvait dans une salle d'hôpital. Hôpital... Douleur à la tête... Accident ?

Elle referma les yeux et essaya de réfléchir. Une forme vêtue de noir se dessina dans son esprit. « Daddy ?... Mais qu'est-ce que je fais, allongée dans un lit de malade, alors que je devrais porter mon uniforme de la Croix Rouge et m'occuper des blessés ? »

La voix douce d'une infirmière la ramena à la réalité.

– Alors, on se sent mieux ? Que diriez-vous d'une bonne tasse de thé ?

Tuppence dut se rendre à l'évidence : elle était

malade. Et pourtant... Soldats... V. A. D. Mais bien sûr ! Je suis une V. A. D. (1).

L'infirmière la souleva un peu pour l'aider à boire le breuvage chaud. La douleur, dans sa tête, se raviva.

– Je suis une V. A. D., déclara-t-elle brusquement. Et ma tête me fait mal.

L'infirmière la regarda sans comprendre et s'éloigna sur quelques paroles de réconfort. Lorsqu'elle croisa l'infirmière-chef, elle lui annonça :

– Le 14 est réveillé. Elle me fait l'effet d'être un peu dérangée.

– A-t-elle dit quelque chose ?

– Seulement qu'elle était une V. I. P. (2).

Sa supérieure ricana :

– C'est bien ce que nous verrons !

Tuppence demeurait immobile, l'esprit tourmenté. Tommy aurait dû se trouver près d'elle. Cet hôpital ne ressemblait pas à celui où elle devrait être en train de travailler. Elle avait la charge des salles A et B occupées par les blessés sur le point d'être opérés... Rouvrant les yeux, elle promena son regard sur les lits environnants, les murs, les fenêtres. Non, ce n'était pas là l'hôpital qu'elle connaissait. Celui-ci... elle ne l'avait jamais vu... « Je me demande où je suis... »

L'infirmière-chef se pencha vers elle.

– Vous vous sentez mieux ?

– Assez bien. Que m'est-il arrivé ?

– Vous vous êtes blessée à la tête. Ce doit être douloureux ?

(1) V. A. D. : *Voluntary Aid Detachment :* société de secours aux blessés.

(2) V. I. P. *Very Important Person :* personnage important.

– Très douloureux. Où suis-je?

– Au Royal Hôpital de Market Basing.

La malade réfléchit, mais le nom ne lui disait rien.

– Un vieil ecclésiastique...

– Je vous demande pardon?

– Ce n'est rien, je...

– Pouvez-vous me donner votre nom... Nous n'avons trouvé aucun papier dans vos affaires.

– Mon nom...

« Comme c'est bête », pensa-t-elle, « je ne me souviens plus de mon nom ». Soudain, le visage du vieil ecclésiastique devint plus net dans son esprit.

– Mais oui ! Prudence.

– Prudence, comment?

– Prudence Cowley.

L'infirmière en prit note et s'éloigna, laissant la malade assez satisfaite d'elle-même. Elle était Prudence Cowley, s'était enrôlée dans le V. A. D. et son père remplissait les fonctions d'ecclésiastique à la cure de... une cure quelconque et c'était la guerre et... « Curieux ! Il me semble à présent que tout cela se passait, il y a très longtemps... » Était-ce votre pauvre enfant? prononça-t-elle à voix haute.

L'infirmière-chef se matérialisa :

– Où habitez-vous, Miss Cowley?... Miss ou Mrs Cowley? Vous venez de faire allusion à un enfant, je crois.

– Je ne me souviens plus si c'est une question que j'ai posée à quelqu'un ou si c'est à moi qu'on l'a posée récemment.

– Vous devriez essayer de dormir un peu.

L'infirmière abandonna la blessée pour aller informer le médecin.

– Elle a repris conscience, docteur. J'ai pu lui faire dire son nom, mais elle n'a pas l'air de se souvenir de son adresse.

– Accordons-lui encore vingt-quatre heures. Elle semble se remettre assez vite de sa commotion.

## 2

Avant que Tommy ait eu le temps de tourner sa clef dans la serrure, la porte fut ouverte par Albert.

– Alors? Est-elle rentrée?

Le garçon hocha tristement la tête.

– Pas de nouvelles, non plus?

– Rien, patron. Et personne d'autre n'a téléphoné. Moi, je suis sûr qu'ils la tiennent.

– Que racontez-vous là, Albert? De qui voulez-vous parler?

– Le gang, pardi!

– Quel gang?

– Eh bien! Un de ces gangs de voyous comme il y en a tant, ou peut-être même un gang international.

– Cessez de dire des bêtises! Je pense seulement qu'elle exagère un peu de nous laisser ainsi sans nouvelles.

– Si cela vous rassure de voir les choses sous cet angle... – Il haussa les épaules, pour bien marquer sa désapprobation. – Je vois que vous ramenez le tableau?

– Pour ce que j'en ai appris d'intéressant... J'ai bien découvert quelque chose, mais je ne sais vraiment pas si cela me sera d'aucune utilité.

– J'ai acheté un autre poulet pour le dîner, annonça Albert.

– Il est vraiment curieux que vous ne puissiez penser à rien d'autre, mon vieux.

A ce moment, le téléphone sonna et Tommy se précipita le premier sur l'appareil.

Une voix, à peine perceptible, demanda à l'autre bout du fil :

– Mr Thomas Beresford? Pouvez-vous prendre une communication d'Invergashly?

– Oui, oui, certainement !

– Ne quittez pas.

Un instant plus tard, une voix jeune et fraîche lui parvint.

– Allô. C'est vous, Daddy?

– Deborah !

– Mais oui, c'est moi. Que se passe-t-il? Auriez-vous couru, vous me semblez à bout de souffle?

Les enfants, pensa-t-il, ont toujours l'esprit critique.

– Je deviens un peu asthmatique sur mes vieux jours. Comment allez-vous, Deborah?

– Très bien. Je vous appelle parce que j'ai remarqué un certain article dans le journal. Vous l'aurez sans doute lu, mais je voulais m'en assurer. C'est au sujet de quelqu'un qui a eu un accident et qui est à l'hôpital.

– Non, je n'ai pas remarqué d'article de ce genre. Pourquoi?

– Je ne pense pas que ce soit grave. Un accident de voiture, peut-être. Il s'agit d'une femme... une femme d'un certain âge, qui a donné pour nom Prudence Cowley, mais n'a pu se rappeler son adresse.

– Prudence Cowley... Vous voulez dire que...

– Ma foi, oui. C'était le nom de jeune fille de Mummy, n'est-ce pas? Je me suis demandé... Croyez-vous qu'il puisse s'agir d'une parente?

– C'est possible. Où a eu lieu l'accident?...

– Je l'ignore mais l'hôpital dont il est question est celui de Market Basing. On aimerait avoir, paraît-il, plus de renseignements sur son compte. Je me suis demandé... Vous allez sans doute me juger stupide, et je ne doute pas qu'il existe plusieurs Cowley, même se prénommant Prudence, mais j'ai voulu téléphoner pour m'assurer que Mummy était bien à la maison et en bonne santé. Vous comprenez?

– Parfaitement.

– Mummy est avec vous, n'est-ce pas?

– Non, justement. Elle n'est pas ici et je ne sais même pas où elle est et je suis inquiet.

– Qu'entendez-vous par là? Qu'a-t-elle encore fait? J'imagine que vous revenez juste de votre fameuse conférence annuelle qui n'aboutit jamais à rien.

– J'en suis revenu hier soir, en effet.

– Et vous avez découvert que Mummy avait disparu... Devait-elle s'absenter? Racontez-moi, Daddy. Je devine que vous êtes tourmenté. Mummy s'est lancée dans une affaire sans l'aide de personne, je parie! A son âge, elle devrait tout de même se reposer!

– Quelque chose ayant un rapport avec la maison de retraite où est morte votre grand-tante Ada, l'a préoccupée, pour ne pas dire, obsédée.

– Quoi donc?

– Une vieille dame lui a tenu des propos étranges et lorsque nous sommes retournés, peu de temps après, au « Coteau Ensoleillé » nous y avons appris que cette pensionnaire était partie assez soudainement.

– Cela ne me semble pas particulièrement anormal?

– Une de ses parentes était venue l'en retirer.

– Et c'est pour cette raison que Mummy s'est mise à se faire du souci sur son compte?

– Elle s'est persuadée que quelque chose d'insolite était peut-être arrivé à la vieille dame. Votre mère a donc procédé à une petite enquête, mais sans résultat.

– Et... elle a décidé de se lancer à la recherche de cette personne?

– C'est cela. Seulement, elle n'est pas rentrée avant-hier, alors qu'elle avait annoncé son retour à Albert.

– Et vous êtes sans nouvelles, depuis?

– Aucune.

– Vous ne pouvez donc pas veiller un peu sur elle!

– Personne n'a jamais pu. Souvenez-vous, durant la guerre...

– Mais maintenant, c'est différent. Elle n'est plus jeune, daddy. Elle devrait rester à la maison, même si cela doit l'ennuyer. Dans le fond, c'est sans doute par ennui qu'elle s'est lancée dans cette aventure.

– Vous dites, l'hôpital de Market Basing?

– Dans le Melfordshire. C'est à environ une heure de Londres, par le train.

– C'est bien ce que je pensais. Et non loin de Market Basing se trouve un village du nom de Sutton Chancellor.

– Qu'est-ce que *cela* a à voir avec notre affaire?

– Ce serait trop long à vous expliquer. Je téléphone tout de suite à cet hôpital. J'ai bien l'impression que c'est de votre mère qu'il s'agit. Elle a été probablement commotionnée et dans ce cas, elle ne se souvient plus du présent. Cela ne me surprendrait pas qu'on l'ait assommée. Je vous tiendrai au courant de ce que je découvrirai, Deborah.

Quarante minutes plus tard, Beresford abandonnait le téléphone après une longue conversation avec une infirmière de l'hôpital Royal de Market Basing.

Albert se matérialisa pour annoncer :

– Vous n'avez encore rien mangé, patron, et je regrette de devoir vous apprendre que le poulet est complètement calciné.

– Aucune importance, je n'ai plus faim. Apportez-moi un double whisky, j'en ai besoin !

Un instant plus tard, Tommy se trouvait confortablement installé dans son fauteuil, un verre à la main.

– Et maintenant, Albert, j'imagine que vous aimeriez être au courant des derniers événements.

Se balançant d'un pied sur l'autre, le garçon s'excusa :

– J'en sais autant que vous, patron.

– Par exemple !

– Voyant que vous alliez peut-être découvrir quelque chose d'important sur la patronne, je me suis permis d'écouter votre conversation téléphonique sur l'autre ligne. Puisqu'il s'agissait de la patronne, j'ai pensé que vous ne m'en voudriez pas trop de mon indiscrétion.

– Je ne vous en veux pas du tout, Albert. En fait, cela m'évite de vous rapporter tout ce que m'ont appris l'infirmière-chef et le médecin de l'hôpital.

– Mrs Beresford ne m'a jamais soufflé un mot de ce patelin, Market Basing.

– Elle n'avait sans doute pas l'intention d'y rester longtemps. A mon avis, quelqu'un l'aura assommée dans un coin isolé et abandonnée sur la route – l'y ayant probablement transportée en voiture – où un automobiliste l'aura découverte. Réveillez-moi à six heures, demain matin. Je veux me rendre sur place le plus tôt possible.

– Sa vie n'est pas en danger, au moins?

– Réfreinez vos idées morbides, Albert. Si vous aviez écouté corectement ce que l'on m'a appris au téléphone, vous sauriez qu'elle a repris conscience, a retrouvé son identité – en partie tout au moins – et qu'elle est sous surveillance pour l'empêcher de se sauver de l'hôpital afin de se lancer à la poursuite de son assaillant, et recommencer à jouer au détective amateur.

– A propos de travail de détective...

– Je ne tiens pas spécialement à vous entendre aborder le sujet, mon vieux.

– Je pensais seulement... oh ! un simple indice...

– Eh bien?

– J'ai réfléchi à quelque chose.

– Vous ne devriez pas...

– Le tableau, par exemple... C'est un indice. Il doit avoir une signification. De même que le secrétaire.

– Le secrétaire?... Quel secrétaire?

– Celui qui est arrivé, il y a peu de temps, avec quelques autres meubles, patron.

– Il appartenait à ma tante Ada.

– Je sais et c'est dans ce genre de meuble que

l'on trouve généralement des indices. J'ai remarqué que c'était une pièce ancienne.

– C'est possible.

– Cela ne me regarde pas, sans doute, mais je me suis permis, durant votre absence, de l'inspecter de près et je me suis dit qu'il se pourrait bien qu'il contienne un tiroir secret.

– Je ne vois pas ce que ma tante Ada aurait voulu cacher dans un tiroir secret?

– On ne sait jamais avec les vieilles personnes. Elles sont comme les avares, toujours à dissimuler des trésors ou des trucs qu'elles croient importants.

– Je regrette de devoir vous décevoir, Albert, mais je ne puis imaginer ma tante Ada, ni même mon oncle William, à qui appartenait ce secrétaire à l'origine, enfouissant quoi que ce soit dans un tiroir secret.

– On ne ferait pas de mal en jetant un coup d'œil sur le secrétaire, patron. De toute manière, il a besoin d'être nettoyé?

Tommy réfléchit à la question. Tuppence et lui avaient vidé le contenu des tiroirs et des casiers sans dénicher quelque chose d'intéressant.

– Nous l'avons inspecté nous aussi, Albert, et tout ce que nous avons recueilli est une collection de recettes, quelques coupons datant de la fin de la guerre et autres bêtises.

– Lorsque j'étais encore gamin, j'ai travaillé six mois chez un antiquaire et je me souviens qu'il m'a appris à découvrir si un secrétaire comprenait un ou plusieurs tiroirs secrets. En votre absence, j'ai ouvert le secrétaire, mais je n'ai pas voulu pousser trop loin mes investigations. Maintenant on pourrait y regarder de plus près. Qu'en pensez-vous?

Le ton d'Albert était si implorant que Tommy capitula. Ils allumèrent toutes les lampes et Albert, abaissant sur ses supports le panneau central du petit meuble, tira les portes d'une sorte de niche qu'encadraient plusieurs rangées de casiers.

– Vous voyez, patron, le plancher de cette niche est à un niveau plus élevé que celui des casiers et... – frappant doucement le panneau de bois – il sonne creux.

Intrigué, Tommy le regarda tâter le fond du plancher qui soudain, se souleva, comme poussé par un ressort.

Albert poussa une exclamation de satisfaction.

– Voilà ! le premier stade...

– Mais cette cavité ne renferme rien, mon vieux...

– Je sais ! je sais ! Voyez, elle se prolonge à droite et à gauche sous les casiers en deux minces tiroirs et c'est là que...

Promenant ses doigts le long d'un côté, il sentit une petite protubérance qu'il tira, mettant ainsi à jour un tiroir peu profond dand lequel reposaient deux enveloppes scellées. S'en saisissant, il les tendit à Beresford, puis remit le tiroir dans sa position originale pour répéter son opération du côté opposé. Là aussi, il découvrit une enveloppe scellée.

– Durant votre absence, j'ai bien repéré la cavité dans le plancher de la petite niche, mais je n'aurais osé poursuivre mes recherches sans votre présence, patron. Vous pensez que ces enveloppes pourront nous apporter quelqu'indice ?

– Il n'y a qu'à les ouvrir.

Prenant la première enveloppe trouvée, il lut sur le papier jauni « Confidentiel ». A l'intérieur, il n'y avait qu'une feuille couverte d'une écriture nerveuse et difficile à déchiffrer. Avec l'aide d'Albert, il réussit à lire le message :

« Recette de saumon à la crème de Mrs MacDonald, qui m'a été donnée par faveur spéciale. Prélevez une tranche d'une livre sur le meilleur morceau du poisson, une demi-pinte de crème de Jersey, un demi-verre de cognac et un concombre frais... »

– Mon pauvre Albert, je crois que nous faisons fausse route. Allons, ne prenez pas cet air désolé, nous passons à la suivante.

La deuxième enveloppe ne semblait pas aussi ancienne. Elle portait deux cachets gris représentant une rose sauvage.

– Ces cachets sont bien jolis. Ils doivent sans doute protéger quelque recette ultra-secrète, un pot-au-feu, par exemple...

Tout en ironisant, Tommy déchira l'enveloppe et quelle ne fut pas sa surprise lorsqu'il en tira dix billets de cinq livres.

– Ce sont de vieux billets. Je me souviens qu'ils étaient en circulation durant la guerre.

– Pourquoi gardait-elle cet argent ?

– Tante Ada a toujours eu un petit pécule. Il y a des années, je me souviens qu'elle affirmait que toutes les femmes devraient mettre de côté cinquante livres en billets de cinq, en cas de besoin.

– Il y a encore une enveloppe à ouvrir, patron.

Leur dernière trouvaille, plus épaisse que les deux autres, portait trois cachets et une écriture irrégulière y avait inscrit en travers « En cas de décès, cette enveloppe doit être envoyée, non ouverte, à mon notaire, Mr Rockbury de la firme Rockbury & Tomkins ou à mon neveu Thomas Beresford. Aucune autre personne n'est autorisée à en lire le contenu. »

Comme pour la première, Tommy eut du mal à déchiffrer le message qui s'étalait sur plusieurs pages.

« Moi, Ada Maria Fanshawe, je consigne, ici, certains faits qui m'ont été révélés par plusieurs pensionnaires de cette maison de retraite, « Le Coteau Ensoleillé ». Je ne puis confirmer leurs dires, mais il semble qu'il y ait quelques raisons de croire que des activités suspectes – sinon criminelles – se déroulent ou se sont déroulées ici. Elizabeth Moody, une femme sotte, mais que l'on peut croire sur parole, m'a confié qu'elle avait reconnu parmi nous, une criminelle célèbre. Il est possible qu'une empoisonneuse se livre à ses manies meurtrières. Personnellement, je préfère ne pas avancer d'opinion définitive. Cependant, je demeure sur mes gardes. Je me propose d'écrire, à la suite de cette déclaration, tous les faits que je pourrai découvrir. Il est vrai que l'affaire n'est peut-être qu'illusion. Je demande à mon notaire ou à mon neveu, Thomas Beresford, d'entreprendre une enquête approfondie. »

– Voilà ! s'écria Albert. Je vous l'avais bien dit, patron ! Nous avons enfin trouvé un indice.

# QUATRIÈME PARTIE

# LES JEUX SONT FAITS......
# RIEN NE VA PLUS....

## XIV

# EXERCICE DE DÉDUCTION

Les Beresford avaient quitté ensemble l'hôpital pour s'installer à l'« Agneau et au Drapeau » la meilleure auberge de Market Basing. Tommy, aux petits soins, venait de placer de moelleux coussins sur le divan où son épouse se détendait. Les marques d'attention dont il l'entourait, n'empêchaient cependant pas l'active Tuppence de dresser mentalement un plan d'action pour l'aventure dans laquelle elle s'était embarquée. Devinant sa pensée, Tommy annonça :

– Inutile de nourrir des illusions, ma chère Tuppence. A partir de maintenant, je vous garde sous surveillance étroite. Il est grand temps que vous compreniez que partir le nez au vent sur une piste, n'est plus de votre âge.

– Vous n'allez tout de même pas croire ce que vous ont raconté ces médecins...

– Oubliez les médecins. C'est moi qui vous demande d'être raisonnable.

– Je vous assure, Tommy, que pour le moment, je n'ai pas l'intention de reprendre la route, seule. Mais, chacun de notre côté, nous avons découvert pas mal de détails intéressants dans cette affaire et il nous faut, à présent, mettre un peu d'ordre dans tout ça. Personnellement, je ne sais par où commencer.

– Moi, je le sais : par ce coup que l'on vous a assené sur la tête.

– C'est pourtant la dernière chose qui me soit arrivée !

– Oui, mais la plus réelle !

– Je suis entièrement de votre avis. Ce disant, elle palpa doucement la bosse douloureuse qui ornait le sommet de son crâne.

– Soupçonnez-vous l'auteur de cet attentat ?

– Malheureusement, non. Ce doit être quelqu'un de Sutton Chancellor et pourtant, je suis restée si peu au village que personne ne m'y connaît vraiment.

– Le curé ?

– Impossible ! D'abord, c'est un charmant vieillard, ensuite il n'aurait jamais eu la force de m'assommer, enfin, comme il est asthmatique, je l'aurais entendu approcher dans mon dos.

– Si vous l'écartez...

– Pas vous ?

– Si, bien sûr. Je l'ai rencontré avant de venir ici et je dois admettre que votre raisonnement se tient.

– Alors, qui ?... Miss Bligh ? Je ne vois pas quel aurait été son motif. Elle ne pouvait me soupçonner de vouloir voler une pierre tombale !

– Pensez-vous cependant que ce pourrait être elle ?

– Elle aurait certainement eu – elle – la force de m'assommer. Elle passe son temps à courir à droite et à gauche dans le village et il est possible qu'elle m'ait aperçue dans le cimetière, se soit approchée par pure curiosité et, pour une raison que j'ignore, m'ait frappée avec un des vases en métal servant à la décoration de l'église. Mais, qu'est-ce qui l'aurait poussée à agir ainsi?

– Et Mrs Copleigh?

– Oh! non, sûrement pas.

– Pourquoi cette assurance? Elle aurait très bien pu épier votre sortie et vous suivre, non?

– Elle parle trop.

– Je ne comprends pas?

– Si vous aviez dû, comme moi, l'écouter parler toute une soirée, vous comprendriez qu'une telle bavarde ne peut être en même temps une femme d'action! Elle n'aurait jamais eu la patience de s'approcher de moi sans faire quelque remarque, ne serait-ce que pour me mettre en garde!

– Admettons et écartons donc Mrs Copleigh. D'autres suspects?

– Amos Perry, l'homme qui habite une partie de la maison près du canal. Perry est le mari de la sympathique sorcière. Un homme bizarre... qui pourrait bien avoir l'esprit morbide. Je ne vois cependant pas pourquoi il me voudrait du mal. Je l'imagine néanmoins mieux dans le rôle de l'assaillant que Miss Bligh qui me semble être une de ces dévotes toujours en quête d'une bonne action spectaculaire. Elle n'est pas du genre à se laisser aller à un acte de violence, à moins qu'elle ne soit poussée par une émotion profonde. – Tuppence réfléchit un moment, puis ajouta brusquement: Vous savez, la première fois que j'ai vu Amos Perry, j'ai eu peur de lui. Il est bâti comme un hercule et avec son regard un peu fou, il ne doit pas être agréable à rencontrer la nuit.

– Bon. Suspect n° 1, Amos Perry.

– Il y a aussi sa femme, remarqua pensivement Tuppence. Elle est peut-être au courant de quelque chose que j'étais sur le point de découvrir. Voyez-vous, Tommy, personne ici ne semble connaître Mrs Lancaster. Il est donc logique d'en déduire qu'elle n'a jamais mis le pied dans ce village. Par contre, elle détenait le tableau de « la maison du Canal » qui a – et j'en suis de plus en plus convaincue – une signification bien définie. Je me demande si toute l'affaire ne tourne pas autour de cette maison et si Mrs Lancaster ne courait pas un grave danger, au « Coteau Ensoleillé », du fait même qu'elle était en possession de ce tableau.

– Mrs Moddy a confié à tante Ada qu'elle avait reconnu parmi les pensionnaires de l'établissement quelqu'un ayant eu « une activité criminelle » et je me suis dit que ce détail était lié par quelque chose au tableau de la maison, et à la maison elle-même où un enfant a peut-être été tué.

– Votre tante qui admirait le tableau, l'a reçu de Mrs Lancaster qui lui a, sans doute, raconté l'histoire de cette maison ou seulement les conditions dans lesquelles elle est entrée en possession de la toile...

– Mrs Moddy a été empoisonnée parce qu'elle avait reconnu une criminelle.

– Revenons, si vous le voulez bien, sur la conversation que vous avez eue avec le docteur Murray. Après vous avoir révélé le résultat de l'autopsie de Mrs Moddy, il vous a énuméré trois exemples dans l'histoire criminelle. L'un citait le cas d'une femme tenant une maison de retraite où ses pensionnaires étaient accueillis à bras ouverts, mais mouraient peu de temps après leur arrivée. Je crois me souvenir vaguement de cette histoire. Cette femme fut finalement démasquée. Lorsqu'à son procès, on la condamna pour meurtre, elle protesta qu'elle avait agi par bonté envers ses victimes auxquelles elle avait voulu éviter les misères de la vieillesse.

– Je ne me rappelle plus de son nom...

– Aucune importance ! Il vous a ensuite cité un autre cas, celui de la cuisinière qui ne restait jamais dans la même maison et laissait des cadavres partout où elle passait. On n'a pu découvrir si elle tirait un plaisir sadique à servir des sandwiches empoisonnés où si c'était devenu, chez elle, une habitude dont elle ne pouvait plus se défaire.

– La troisième était encore plus folle, il me semble. Une Française du nom de Gebron, surnommée l'Ange de la Miséricorde !

– C'est cela. Elle allait veiller auprès des malades du voisinage, les enfants surtout, mais après un léger mieux dans l'état du patient, la maladie empirait pour finalement emporter la victime. L'infirmière bénévole pleurait les disparus, se rendait au cimetière derrière le convoi, effondrée de douleur et les parents la voyant ainsi, se demandaient ce qu'ils auraient fait s'ils n'avaient pas eu ce bon ange pour veiller si longtemps au chevet de leur petit.

– Pourquoi revenir sur tout cela, Tuppence ?

– Je me demandais si le docteur Murray ne vous a pas rappelé ces trois cas particuliers pour vérifier si l'un d'eux pourrait avoir pour cadre le « Coteau Ensoleillé »... Personnellement je trouve que le premier s'adapterait bien à Miss Packard. La directrice compétente qui offre une mort prompte à ses pensionnaires tout en empochant leur pécule.

– Vous n'aimez pas Miss Packard, je le sais. Ce n'est cependant pas une raison suffisante pour en faire une criminelle. Moi, je la trouve très sympathique.

– Les meurtriers ont souvent un air sympathique. C'est comme les escrocs et les maîtres chanteurs qui semblent parfaitement honnêtes. En tout cas, Miss Packard a la possibilité de supprimer qui elle veut, sans attirer les soupçons de son entourage. Pourtant, une personne telle que Mrs Moddy, un peu folle elle aussi, aurait pu voir clair dans son jeu. A moins qu'elle ne l'ait connue des années auparavant.

– Je ne pense pas que Miss Packard ait quelque intérêt à la mort de ses pensionnaires.

– Pas de toutes, mais elle peut s'arranger de façon que quelques-unes, les plus riches, lui abandonnent leurs biens, avant de se décider à les supprimer. Il est possible que Murray ait nourri de vagues soupçons sur son compte, ce qui expliquerait sa démarche auprès de vous; en un sens, il cherchait à connaître votre opinion, pour fortifier la sienne. La seconde affaire pourrait s'adapter à un membre du personnel : une cuisinière, une aide qui éprouverait une certaine aversion pour un certain type de vieilles femmes. Ne connaissant pas le personnel de la maison de retraite, il nous est encore impossible de porter nos soupçons sur l'un ou l'autre...

– Et la troisième affaire?...

– C'est plus difficile. Quelqu'un de dévoué...

– Vous vous rappelez la grande Irlandaise rousse?

– L'infirmière qui s'était attachée à votre tante?

– Celle-la même. Elle devait bientôt quitter le « Coteau Ensoleillé » et a évité de nous donner la raison de son prochain départ.

– Sans doute une névrosée. N'oubliez pas que les infirmières doivent se montrer fermes envers les pensionnaires, sinon la direction leur reproche leur indul gence qui incite, paraît-il, les patientes à se montrer difficiles.

– C'est l'infirmière Beresford qui parle!

– Soyez sérieux, Tommy, et revenons, si vous le voulez bien au tableau. Cette Mrs Boscowan que vous êtes allé voir me paraît une personne très intéressante.

– Vous pouvez le dire! Sans nul doute, le caractère le plus original que j'aie rencontré dans cette affaire. Elle m'a donné l'impression de savoir quelque chose sur cette maison que ni moi ni vous n'avons encore découvert.

– Son argument à propos du bateau m'intrigue. Pourquoi n'aurait-il pu être ajouté par l'artiste, la toile terminée?

– Comment le saurais-je?

– Y a-t-il un nom sur ce bateau? Je n'ai pas eu le temps de le regarder de près?

– Il porte, en effet, un nom : *Waterlily* (1).

– Un titre approprié. C'est curieux... Il me rappelle quelque chose... Mrs Boscowan était absolument certaine que son mari n'avait jamais peint ce bateau?

(1) Waterlily : nénuphar.

– Elle s'est montrée très affirmative dans sa réponse.

– Il y a, bien sûr, une autre possibilité que nous avons omis de considérer, à propos du coup que j'ai reçu. Il se pourrait que quelqu'un m'ait suivie de Market Basing, après que j'y eus pris des renseignements sur la maison du canal. L'agence immobilière qui s'occupe de la partie louée aux Perry m'a paru très évasive lorsque j'ai cherché à connaître le nom du propriétaire, aussi évasive, maintenant que j'y pense, que le notaire et que la banque par lesquels nous avons essayé de retrouver Mrs Lancaster. Il aurait été très facile de me suivre jusqu'à Sutton Chancellor et de m'assommer alors que je me trouvais seule dans le cimetière. Cela dit, je me demande pourquoi mon assaillant a mis son plan à exécution au moment même où j'examinais une vieille pierre tombale.

– Vous m'aviez bien dit que l'inscription en était grossièrement gravée?

– Je n'aurais pas fait pire. Le nom... Lily Waters... l'âge... sept ans... Ces mots étaient assez lisibles. Après... quelque chose comme: » Quiconque... offense surtout ceux-ci... Millstone... »

– Ce dernier mot me semble familier.

– Cela vient d'un passage biblique, mais a sûrement été reproduit par quelqu'un qui ne se souvenait plus exactement des termes exacts.

– Toute cette histoire est bien étrange.

– Et pourquoi ma curiosité a-t-elle inquiété quelqu'un?... je ne faisais qu'aider le curé et à travers lui, ce pauvre homme qui recherchait la tombe de son enfant... encore un enfant disparu, vous remarquez? Mrs Lancaster fait allusion à un enfant muré derrière une cheminée, Mrs Copleigh raconte l'histoire d'une mère qui tue son enfant... Un fameux amalgame de contes, superstitions et ragots... Toutefois, il faut souligner que dans tout cela, nous avons une pièce à conviction... quelque chose de solide.

– Quoi donc?

– La poupée, tombée dans la cheminée de la maison du canal, voyons! Elle a dû rester coincée un bon bout de temps là-haut.

– Dommage que nous ne l'ayons pas ici.

– Je l'ai!

– Vraiment? Où?

– Dans ma valise. Comme personne ne semblait s'en préoccuper, je l'ai emportée avec le souci de l'examiner de plus près.

Ce disant, Tuppence alla fouiller dans sa valise d'où elle tira un objet enveloppé dans un journal.

– Tenez, jetez-y un coup d'œil, Tommy.

Beresford défit le paquet et prit avec précaution la vieille poupée défigurée dont les vêtements tombaient presque en poussière. Le corps couvert de cuir, portait des trous desquels s'échappait le son dont il était bourré. Sous les doigts de Tommy une partie de la poupée se sépara soudain du tronc et de la blessure coula un filet de son et quelques petites pierres qui roulèrent au sol.

A quatre pattes, le mari de Tuppence recueillit ces petites pierres tout en grommelant entre ses dents.

Tuppence, qui l'observait, remarqua d'un ton pensif:

– Je me demande d'où viennent ces débris? Sans doute de l'intérieur de la cheminée.

– Ils ne se seraient pas logés au milieu du son!

Se relevant, il se mit à fouiller méticuleusement

l'intérieur du jouet, dont il retira tous les cailloux qu'il contenait et s'en fut examiner sa trouvaille à la fenêtre.

Dans son dos, Tuppence poursuivait :

– Curieuse idée de fourrée une poignée de pierres dans le ventre d'une poupée.

– Ceux-ci sont assez spéciaux. Tenez, prenez-en quelques-uns et voyez vous-même.

Obéissant, sa femme ne put que déclarer :

– Je ne vois toujours pas...

– Et moi, je commence à y voir clair, ma chère Tuppence ! parce que ces jolis petits cailloux sont tout simplement, des diamants !

## XV

# UNE SOIRÉE AU PRESBYTÈRE

### 1

Ébahie, Tuppence fixait les pierres que son mari venait de lui passer.

– Ces morceaux de verre... des diamants !

– Sans la moindre erreur. Maintenant, je comprends... La maison, le tableau... Attendez qu'Ivor Smith apprenne cette nouvelle. Il a déjà pas mal progressé.

– Dans quel sens ?

– Dans ses recherches pour mettre le grappin sur les chefs d'un gang très puissant.

– Vous et votre Ivor Smith ! J'imagine que vous avez passé la semaine en sa compagnie, m'abandonnant durant mes derniers jours de convalescence dans cet hôpital sinistre, alors que j'avais tellement besoin d'être distraite.

– Vous êtes injuste ! Je suis venu vous rendre visite presque chaque jour !

– Vous ne m'avez pas appris grand-chose.

– L'infirmière-chef m'avait formellement interdit de vous donner des émotions. D'ailleurs, Ivor lui-même vient nous rejoindre après-demain et dans la soirée, nous sommes invités à une petite réunion au presbytère. Vous y retrouverez votre amie, Miss Nellie Bligh, le curé, bien sûr, et aussi Mrs Boscowan.

Tuppence éclata de rire.

– Qu'est-ce qui vous prend?

– Je vous imagine, découvrant avec Albert les tiroirs secrets du secrétaire de votre tante!

– Albert a témoigné d'une ingéniosité remarquable.

– Qui aurait cru que tante Ada cacherait ce document en un tel endroit? Elle n'a jamais pu obtenir de preuves, mais je me demande si elle était convaincue de la culpabilité de Miss Packard.

– Parce que vous, vous êtes certaine que Miss Packard est la criminelle du « Coteau Ensoleillé »!

– Si nous devons chercher un gang de malfaiteurs, l'endroit serait un lieu de rendez-vous idéal avec son aspect paisible et respectable; de plus, une empoisonneuse pourrait s'occuper des suspects sans attirer l'attention. Autre chose, Tommy. Supposons que le tableau *n'ait jamais appartenu à Mrs Lancaster...*

– Pourquoi... puisque nous savons qu'il était à elle.

– Seulement d'après les dires de Miss Packard.

– Je ne vois pas...

– La vieille dame a pu être retirée de l'établissement pour qu'elle ne puisse nous confier que le tableau ne lui appartenait pas et qu'elle n'en avait jamais fait don à votre tante.

Tommy réfléchit.

– Hypothèse plutôt tirée par les cheveux, hein ?

– Possible... mais vous ne m'ôterez pas de l'idée que le « Coteau Ensoleillé » et la maison près du canal ont un certain lien entre eux. N'oublions pas que Mr Eccles a envoyé Mrs Johnson au « Coteau Ensoleillé » pour en retirer Mrs Lancaster. Or, d'après Ivor Smith, cet Eccles serait le cerveau du gang criminel. Je vous répète que je ne crois pas que Mrs Lancaster soit jamais allée à Sutton Chancellor, dans la maison près du canal, ou même qu'elle ait jamais détenu le tableau la représentant. Il est fort possible, par contre, qu'elle ait entendu quelqu'un y faire allusion, Mrs Moddy, par exemple ? Elle a donc répété à la ronde ce qu'une autre pensionnaire lui avait appris, ce qui s'affirmait dangereux, et c'est pourquoi il fallait qu'elle disparût. Mais un jour, je la retrouverai, Tommy !

Devant son air déterminé, Tommy lança d'un ton théâtral :

– La « Mission Sacrée » de Mrs Thomas Beresford !

2

S'inclinant devant Tuppence, Ivor Smith s'enquit :

– Comment vous sentez-vous à présent, Mrs Tommy ?

– Tout à fait bien, merci. J'ai été stupide de me laisser assommer.

– Vous méritez une médaille... surtout pour avoir découvert la poupée. Je me demande comment vous

vous y prenez pour réussir là où de vieux renards comme nous, échouons !

– Ma femme est un parfait limier, Ivor.

Promenant son regard de l'un à l'autre, Tuppence lança d'un ton soupçonneux :

– Vous n'avez pas l'intention de me laisser en dehors de votre petite réunion de ce soir, j'espère ?

– Certainement pas. Les renseignements que vous nous avez fournis ont été vérifiés et je ne saurais vous dire à quel point je vous suis reconnaissant. Remarquez que de notre côté, nous progressions, mais nous attendions toujours le petit indice qui nous permettrait de mettre la main au collet du chef de ce gang. Notre homme, Eccles, quoique très prudent, a éveillé notre attention avec ces maisons qu'il achetait pour certains de ses clients – tous des citoyens très respectables, bien sûr – désirant s'installer pour un certain temps dans une maison de campagne isolée, pour en disparaître brusquement, un beau jour.

Grâce à vous, Mrs Tommy, nous avons découvert une de ces maisons. Ces diamants trouvés dans la poupée ont été le prix d'un hold-up et attendaient sagement que tout soit calmé, pour partir à l'étranger.

– Et les Perry, dans tout ça... Ils ne sont pas... ils n'ont pas trempé dans cette affaire, j'espère ?

– Difficile à affirmer... Je ne serais pas étonné que Mrs Perry sache quelque chose, ou ait été au courant de quelque affaire à une certaine époque.

– Vous pensez vraiment qu'elle aurait pu appartenir à cette bande de criminels ?

– Pas forcément, mais les criminels eux, auraient pu avoir prise sur elle.

– Comment ?

– La police locale a toujours suspecté son mari d'être le maniaque qui a étranglé, il y a bien des années, plusieurs enfants du voisinage. Rien n'a pu être prouvé contre Perry, à qui sa femme a toujours fourni des alibis indiscutables. Notre gang a sans doute mené une petite enquête et déniché une preuve, là où la police avait échoué. Alors, on a fait emménager les Perry dans la maison, assuré qu'ils ne divulgueraient pas les agissements de la bande. Vous qui les avez vus, que pensez-vous d'eux, Mrs Tommy?

– Alice Perry m'a paru sympathique.

– Et son mari?

– Il m'a fait peur. Pas tout le temps, mais à une ou deux occasions, il m'a semblé prendre des proportions énormes. Il m'a donné, aussi, l'impression de n'être pas complètement sain d'esprit.

– Bien des gens sont ainsi. Souvent, ils ne sont pas dangereux, mais on ne sait jamais ce qui peut un jour leur passer par la tête.

– Qu'allons-nous faire ce soir au presbytère?

– Poser des questions. Voir certains personnages. Essayer de pêcher çà et là quelques renseignements qui pourraient compléter ceux que nous possédons déjà.

– Le commandant Waters sera-t-il présent? L'homme qui a écrit au curé au sujet de sa petite fille disparue?

– Il n'existe probablement pas! On a mis à jour, sous une vieille pierre tombale, le cercueil d'une petite fille. Il était plein de bijoux et du produit de vols importants qui eurent lieu près de St. Albans. Les garnements de Sutton Chancellor ayant déraciné quelques pierres tombales, les malfaiteurs ont eu recours au brave curé pour retrouver celle qui les intéressait, ne se doutant pas que le vieillard ébruiterait sa découverte.

3

Le curé vint à la rencontre de Tuppence, les mains tendues.

– Ma chère enfant, je suis tellement désolé que cet accident vous soit arrivé alors que vous agissiez par bonté de cœur. J'ai... ma foi, j'ai le sentiment que tout ceci est arrivé par ma faute. Je n'aurais pas dû vous laisser aller examiner ces vieilles pierres tombales, bien que franchement, je ne sais comment j'aurais pu deviner qu'une bande de voyous...

– Allons, monsieur le curé, calmez-vous, intervint Miss Bligh, arrivant à leur hauteur, Mrs Beresford doit bien savoir que vous ignoriez le fond de cette histoire. Elle a été très bonne de vous offrir son assistance, mais puisqu'elle est complètement remise, il est inutile de revenir là-dessus.

Tuppence assura le curé qu'en effet, elle se sentait parfaitement d'aplomb, mais en son for intérieur, elle en voulait à la vieille fille d'avoir répondu à sa place.

Très à son aise, Miss Bligh proposa :

– Asseyez-vous ici, Mrs Beresford. Je vais mettre un coussin dans votre dos.

– Je n'ai pas besoin d'un coussin, protesta l'intéressée et refusant le siège indiqué, elle s'en fut s'asseoir sur une chaise haute très inconfortable, près de la cheminée.

Un coup frappé avec force à la porte d'entrée fit sur-

sauter l'assistance. Se hâtant, Miss Bligh annonça :
– Ne vous dérangez pas, monsieur le curé. je vais ouvrir.
– S'il vous plaît.
Un bruit de voix s'éleva dans le hall puis Miss Bligh réapparut suivie d'une femme aux cheveux blancs, vêtue d'une robe de brocart et d'un homme grand et mince au visage cadavérique, enveloppé dans une cape noire. Il semblait surgir du passé, plus exactement d'un tableau du Greco, pensa Tuppence.
Le curé salua les nouveaux arrivants.
– Je suis heureux que vous ayez pu venir. Permettez-moi de vous présenter. Sir Philip Starke, Mr et Mrs Beresford, Mr Ivor Smith. Ah ! Mrs Boscowan. Il y a des années que je ne vous ai vue... Mr et Mrs Beresford...
– Je connais déjà Mr Beresford. – Se tournant vers Tuppence : Je suis contente de vous voir. On m'a dit que vous aviez eu un accident.
– C'est exact. Mais je n'en garde aucune marque.
Les échanges de politesse terminés, Tuppence reprit sa place au coin du feu. Une soudaine fatigue l'envahit, qu'elle mit sur le compte de sa récente commotion. Les yeux mi-clos, elle observa l'assistance avec attention, sans écouter ce qui se disait. Elle venait de comprendre que quelques-uns des personnages du drame dans lequel elle s'était inconsciemment plongée, se trouvaient réunis devant elle, en ce moment, comme sur une scène de théâtre. L'entrée de Mrs Boscowan et de Sir Starke marquait un tournant important. Ils étaient, sans nul doute, deux acteurs devant jouer un rôle essentiel dans ce

mystère. Pourquoi étaient-ils présents à la réunion de ce soir? Quelqu'un les y aurait-il convoqués... ou invités comme elle et Tommy? Ivor Smith, peut-être...? Les connaissait-il ou les rencontrait-il, ce soir, pour la première fois? Tout a commencé au « Coteau Ensoleillé » et cependant, ce n'est pas là-bas qu'est le nœud de l'affaire, mais ici à Sutton Chancellor. C'est à Sutton Chancellor qu'ont eu lieu certains événements, il y a très longtemps. Mrs Lancaster n'a jamais été mêlée à ces histoires... ou plutôt, elle y a été mêlée sans en avoir conscience. La question est de savoir où elle se trouve en ce moment? » Un frisson la secoua alors qu'une nouvelle idée lui venait à l'esprit. « Peut-être est-elle *morte...* »

Dans ce cas, Tuppence aurait échoué dans la mission qu'elle s'était donnée. Ayant deviné que la vieille dame courait un grand danger elle avait résolu de venir à son secours, de la protéger... « Si elle est encore en vie, je surmonterai tous les obstacles et la sauverai ! »

Sutton Chancellor... C'est là que s'était déclenché le drame. La maison près du canal pouvait en être le centre ainsi que ce village où des gens vinrent vivre quelque années. Où ils étaient repartis? D'où revenaient-ils pour de courtes apparitions? Comme Sir Starke, par exemple?

Sans tourner la tête, elle porta les yeux sur Sir Philip. Elle ignorait tout de lui, à part ce qu'en avait raconté Mrs Copleigh. Un riche industriel, intelligent, passionné de botanique. Il adorait les enfants, selon la bavarde. Encore les enfants! Mrs Copleigh avait ajouté: « Je l'imagine bien étranglant ces pauvres petits. »

Sir Philip Starke assassin... et d'enfants, par-dessus le marché ! Les paupières mi-closes, elle étudia l'homme, cherchant à déceler en lui un meurtrier.

Quel âge avait-il ?... soixante-dix ans, au moins. Un visage austère, aux traits tourmentés. Des yeux noirs, immenses. Oui, vraiment, un modèle idéal pour le Greco.

Pourquoi était-il là ?... Elle tourna les yeux vers Miss Bligh qui s'agitait sur son siège, plaçant un coussin par-ci, poussant un cendrier ou des cigarettes par-là. Elle semblait mal à l'aise. Elle regardait Sir Philip, chaque fois qu'elle se détendait un peu et de quel regard...

L'attachement du chien fidèle, pensa Tuppence. Elle l'a sans doute aimé, peut-être l'aime-t-elle encore. Il est vrai qu'on ne cesse pas d'aimer une personne parce qu'on devient vieux. Seuls, les jeunes sont assez naïfs pour croire que l'amour ne survit pas à l'adolescence. C'est Mrs Copleigh ou le curé qui m'a révélé que dans sa jeunesse, elle avait été la secrétaire de Sir Philip. Cela expliquerait sa muette adoration. Ce n'est pas d'aujourd'hui que les secrétaires tombent amoureuses de leur patron. Nellie Bligh chérissant son employeur... Aurait-elle percé à jour l'horrible personnalité de cet homme qui prétendait tant aimer les enfants ?

Le visage tourmenté de Sir Philip reflétait peut-être ce penchant morbide.

Les yeux hagards accrochèrent son regard, semblant vouloir transmettre un message.

« Vous vous interrogez sur mon compte ? Vous avez deviné juste : je suis un homme obsédé. »

Oui, ce qu'elle imaginait avoir lu dans ses yeux

correspondait bien à son caractère, un homme obsédé...

Tuppence se détourna pour observer le curé. Le vieillard respirait l'innocence et la bonhomie. Savait-il quelque chose où se trouvait-il placé au milieu d'un drame sinistre dont il ne soupçonnait rien?

Mrs Boscowan? Elle ne la connaissait pas. Tommy l'avait décrite comme une femme d'une personnalité très affirmée, mais cela ne signifiait pas grand-chose.

A ce moment, l'artiste se leva et demanda :

– Puis-je aller me laver les mains?

– Certainement, s'empressa Miss Bligh. Je vous montre le chemin. Vous permettez, monsieur le Curé ?

Sans attendre de réponse, Mrs Boscowan décida :

– Je connais. Inutile de m'accompagner. Vous voulez venir aussi, Mrs Beresford?

Tuppence se leva automatiquement et obéit à la voix impérative. Alors qu'elles montaient au premier, le sculpteur expliqua :

– Il y a toujours une petite pièce arrangée pour les visiteurs et je me souviens que la salle de bains y fait suite.

Elle poussa une porte, tourna l'interrupteur et referma le battant sur Tuppence, pour annoncer :

– Je suis heureuse que vous soyez là, ce soir. Je voulais vous voir. Votre mari vous a-t-il dit que j'étais inquiète à votre sujet?

– En effet...

– Très inquiète. Avez-vous jamais eu le sentiment que Sutton Chancellor était un endroit dangereux?

– Il s'est révélé dangereux pour moi, en tout cas !

– D'accord. Vous avez eu de la chance de vous en tirer à si bon compte. Bien que je comprenne cela, au fond.

– Vous savez quelque chose...

– Dans un sens oui et dans un sens, non. On est plus ou moins sensible et lorsqu'on prévoit un événement et qu'il se produit, c'est très inquiétant. Cette histoire de gang est assez extraordinaire, n'est-ce pas? Elle semble n'avoir aucun rapport avec... Hochant la tête, elle biaisa. Après tout, elle n'a rien de tellement sensationnel. Des gangs ont toujours existé, et ils sont tellement bien organisés de nos jours, qu'ils ne sont pas vraiment dangereux. Le danger vient d'un autre côté. Le tout est de deviner où il est et d'éviter de le provoquer. Faites attention, Mrs Beresford. Faites très attention. Vous êtes de ces personnes qui se lancent tête baissée dans une affaire. Cette attitude, en l'occurence, est dangereuse.

Lentement, Tuppence articula :

– La vieille tante de mon mari a entendu quelqu'un affirmer que la maison de retraite dans laquelle elle vivait, hébergeait une criminelle.

Son interlocutrice hocha simplement la tête.

– Depuis, il y eut deux décès dont la cause a intrigué le médecin traitant.

– Est-ce là ce qui a éveillé votre intérêt?

– Non. J'ai commencé à me poser des questions un peu avant.

– Si vous le pouvez, racontez-moi vite ce qui, dans cet établissement, vous a mis la puce à l'oreille.

Tuppence obéit et lorsqu'elle eut terminé, Mrs Boscowan voulut en savoir davantage :

– Vous ne savez pas où se trouve maintenant cette vieille Mrs Lancaster ?
– Non.
– Pensez-vous qu'elle soit morte ?
– C'est possible.
– Parce qu'on la savait au courant de certaines choses ?
– Parce qu'elle avait entendu parler d'un meurtre... celui d'un enfant, je crois.
– Là, elle a dû confondre. Elle a mélangé l'histoire d'un enfant avec une autre sorte de crime, à mon avis.
– J'admets que les vieilles personnes embrouillent les événements qu'on leur raconte. Pourtant, une villageoise chez laquelle je suis restée une nuit m'a confié qu'il y a bien eu ici, un maniaque qui tua plusieurs enfants dans la région.
– C'est exact, mais cela se passait il y a très longtemps. Le curé n'est probablement pas au courant, mais Miss Bligh doit s'en souvenir, bien qu'à l'époque elle était très jeune.
– A-t-elle toujours été amoureuse de Sir Philip Starke ?
– Vous l'avez remarqué ? Oui, elle l'aimait déjà lorsque William et moi sommes venues dans ce village pour la première fois. Un amour sans espoir.
– Qu'est-ce qui vous a amenés ici ? Avez-vous habité la maison du canal ?
– Non, jamais. Mon mari aimait à la peindre. Il en a fait plusieurs études. Qu'est-il advenu du tableau que m'a montré votre époux ?
– Il est à la maison. Tommy m'a appris que le bateau qui y figure, n'est pas de la main de votre mari.

– Autrement, je m'en souviendrais.

– Celui qui l'y a peint, l'a baptisé *Waterlily*... Or, un homme qui n'existe pas, un certain commandant *Waters*... a écrit au curé pour lui demander de rechercher la tombe d'un enfant, une petite fille du nom de Lilian... Cette tombe, qui a été retrouvée, ne contenait que le produit d'un important hold-up. Le bateau sur le tableau devait donc être un message, indiquant le lieu où avait été caché le butin.

– Apparemment... Bien qu'il soit difficile d'en être certain... S'interrompant pour écouter, elle ajouta : Elle vient nous chercher. Entrez dans la salle de bains.

– Qui ?

– Nellie Bligh. Fermez la porte sur vous.

– Elle n'est qu'une fouineuse...

– Plus que cela ! Disparaissez ! Vite !

Nellie Bligh arriva, alerte et empressée.

– J'espère que vous avez tout ce qu'il vous faut ? Il y a du savon et des serviettes propres ? Mrs Copleigh s'occupe bien du ménage, mais il faut toujours vérifier si elle n'oublie rien.

Les deux femmes regagnèrent ensemble le rez-de-chaussée où Tuppence les rejoignit. A son entrée, Sir Philip se leva, avança sa chaise et prit place à ses côtés.

– J'ai été navré d'apprendre la nouvelle de votre accident, Mrs Beresford.

Sa voix avait un accent profond mais lointain, et ses yeux scrutaient le visage de sa voisine comme pour chercher à deviner le cours de ses pensées. Tuppence se tourna vers Tommy, occupé à bavarder avec Emma Boscowan.

– Qu'est-ce qui vous a amenés à Surton Chancellor, Mrs Beresford ?

– Nous sommes en quête d'une maison et j'ai profité d'un voyage d'affaires de mon mari pour venir examiner cette partie du pays.

– J'ai entendu dire que vous étiez allée voir la maison près du canal.

– En effet. Je l'avais remarquée pour la première fois d'un compartiment de chemin de fer. Elle est très jolie de l'extérieur.

– Oui, bien qu'elle ait besoin de grosses réparations. L'arrière n'a pas beaucoup de caractère, n'est-ce pas ?

– C'est mon avis. Une curieuse façon de diviser une maison afin d'en louer séparément l'avant et l'arrière. Vous n'y avez jamais vécu ?

– Oh ! non. Ma maison a été construite sur les ruines d'un ancien prieuré qui brûla au cours du siècle dernier. Elle est située derrière le presbytère et surplombe le village. Il y a quarante ans, son architecture était très critiquée, mais il semblerait que ces derniers temps, les entrepreneurs admirent la façon solide dont elle fut édifiée. Elle comprend tout ce que la maison d'un « gentleman » doit avoir. Son ton se fit légèrement ironique. Une salle de billard, un petit salon, une immense salle à manger, une salle de bal, au moins quatorze chambres à coucher. A une certaine époque, il y eut jusqu'à quinze servantes.

– J'ai l'impression, d'après votre ton, que vous ne l'aimez pas beaucoup ?

– Je ne m'y suis jamais senti à l'aise. Je dois spécifier que mon père, un remarquable chef d'industrie, désirait que je suive son exemple, mais je n'ai jamais pu m'habituer au genre de vie qu'il me proposait. Il ne m'en a pas voulu et a mis une certaine somme à ma disposition, me laissant libre de suivre ma vocation.

– On m'a dit que vous étiez botaniste.

– La botanique était mon passe-temps favori. J'ai souvent eu l'occasion d'aller cueillir des fleurs sauvages dans les Balkans. Y êtes-vous jamais allée ? On y rencontre des paysages inoubliables.

– Je vous crois. Et entre vos voyages, vous vivez ici ?

– Il y a des années que je n'y viens plus. Depuis la mort de ma femme.

– Pardonnez-moi... je ne voulais pas être indiscrète.

– C'est arrivé, il y a bien longtemps... avant la guerre. En 1938. C'était une femme extraordinaire.

– Avez-vous des photos d'elle, ici ?

– Non. La maison est vide. Tous les meubles, à part ceux composant un bureau et une chambre, sont ailleurs. Les deux pièces encore habitables sont utilisées par mon régisseur ou par moi, lorsqu'il est absolument nécessaire que je sois là pour régler des affaires importantes.

– Vous n'avez jamais songé à vendre votre propriété ?

– Non. Il est question de la transformer en lotissement, mais je n'ai encore rien décidé. Ce n'est pas que je sois attaché à cette terre, mais mon père aurait souhaité que la propriété devînt une sorte de château féodal où ses petits-enfants grandiraient. – Il hésita avant de conclure. – Julia et moi n'ayant pas eu d'enfants, il n'y a aucune raison pour que je m'installe ici. Je laisse Nellie Bligh régler à ma place, toutes les histoires administratives. Elle a toujours été, pour moi, une secrétaire exemplaire.

– Vous ne venez jamais et cependant vous vous refusez à vendre...

– J'ai de bonnes raisons pour retarder ma décision. – Souriant, il expliqua : Il se peut, au fond, que j'aie hérité du sens des affaires de mon père. Il paraît que le terrain prend de la valeur à l'heure actuelle. Un jour, qui sait ? ce village deviendra une de ces villes verticales, qui poussent comme des champignons.

– Ce jour-là, vous serez très riche.

– Encore plus riche que je le suis et je le suis déjà passablement.

– A quoi employez-vous votre temps ?

– Je voyage et je possède une galerie d'art à Londres qui m'intéresse beaucoup. Je crois que je suis sur le point de devenir marchand de tableaux. Une manière agréable de passer le temps, en attendant que la main toute-puissante se pose sur mon épaule, pour l'annoncer que l'heure du départ a sonné.

– Ne dites pas cela ! C'est... c'est affreux et ça me donne des frissons !

– Cela ne devrait pas. Je crois que vous aurez une existence très longue, Mrs Beresford, et très heureuse.

– Je suis très heureuse, pour le moment. En vieillissant, je ne doute pas que je subirai comme tout le monde les petites misères qui amoindrissent notre énergie.

– Vous n'en souffrirez peut-être pas autant que beaucoup d'autres. Ne croyez pas que je sois indiscret si je vous dis que vous et votre mari me faites l'effet de former un couple très heureux.

– C'est vrai. J'imagine que rien, dans la vie, ne compense une existence harmonieuse à deux.

Tout de suite, Tuppence regretta ses paroles. Lorsqu'elle regarda l'homme assis près d'elle qui avait sans doute été très affecté par la mort de sa femme et qui probablement la pleurait encore, elle se gourmanda pour son manque de tact.

XVI

# LE LENDEMAIN MATIN

1

Dans la matinée, Ivor Smith vint rendre visite aux Beresford dans le petit salon attenant à leur chambre. Les deux hommes, assis à l'écart, interrompirent leur conversation, pour se tourner vers Tuppence qui contemplait pensivement les flammes dans la cheminée.

– Où en sommes nous? demanda Tommy.

Soupirant, son épouse abandonna le cours de ses pensées pour répondre :

– Pour moi, c'est encore la bouteille à l'encre. La réunion d'hier soir, par exemple? En quoi nous a-t-elle avancés? J'imagine qu'elle vous a peut-être éclairés dans un sens... mais, vous-même, Mr Smith, qu'avez-vous appris?

– Difficile à dire, car je ne pense pas que nous ayons, vous et moi, le même but.

Tuppence parut réfléchir un moment avant de déclarer, d'un ton brusque :

– D'accord, je suis une femme têtue! *Je veux retrouver Mrs Lancaster.* Je veux être certaine que rien de fâcheux ne lui est arrivé.

– Pour cela, chère Tuppence, il faut d'abord mettre la main sur Mrs Johnson. Sans elle, vous ne parviendrez jamais jusqu'à la vieille dame.

– Mrs Johnson?... Oui, je me demande si... Mais ce côté de l'affaire ne vous intéresse pas.

– Au contraire, Mrs Tommy, il nous intéresse beaucoup.

– Et Mr Eccles?

Smith sourit :

– J'ai l'impression que Mr Eccles va bientôt devoir payer pour tous ses crimes. Cependant, c'est un malin qui a plusieurs tours dans son sac, et il est capable de nous échapper, une fois de plus.

– Hier soir... commença Tuppence, qui hésita avant de poursuivre. Puis-je poser des questions?

Ce fut Tommy qui répondit :

– Certainement, ma chère, mais il n'est pas certain que notre ami Ivor, ici présent, satisfera votre curiosité.

– Eh bien! quel rôle joue Sir Philip Starke dans l'affaire? Il ne m'a pas donné l'impression d'être un criminel... à moins qu'il...

Elle se tut, réalisant à cet instant combien les soupçons que nourrissait Mrs Copleigh à l'égard du botaniste, pouvaient être injustes.

Smith se porta à son secours, en expliquant :

– Sir Starke nous a fourni des renseignements très utiles. Il est l'un des propriétaires terriens les plus importants de la région... et d'autres comtés aussi.

– Le Cumberland, par exemple?

– Le Cumberland? Qu'est-ce qui vous pousse à croire cela?

– Rien, en fait. Le nom vient de me traverser l'esprit. – Elle fronça les sourcils et ajouta, rêveuse :

Une rose rouge et blanche à côté d'une maison... une de ces fleurs classiques... La maison près du canal appartient-elle à Sir Philip?

– Il est propriétaire du terrain, ainsi que des meilleurs terres du pays. Grâce à lui, nous avons pu éclaircir beaucoup de mystères touchant certains baux qui avaient été réglés de façon assez louche...

– Ces agences immobilières que j'ai visitées à Market Basing réalisent-elles des transactions douteuses ou me suis je fait des idées mal fondées à leur sujet?

– Vous n'avez rien imaginé, chère madame. D'ailleurs nous allons nous offrir une petite visite à leurs directeurs, ce matin même. Je puis dire que ces derniers temps, nous progressons à grands pas. Nous avons déjà tiré au clair l'important hold-up dont a été victime un bureau de poste, en 1965, ainsi que celui d'Albury Cross et encore celui du courrier postal irlandais. Nous avons effectué une descente dans plusieurs maisons où nous avons découvert des cachettes ingénieuses.

– Mais, et ceux qui ont monté ces expéditions? Eccles n'en est pas le chef unique, tout de même?

– Non, bien sûr. Nous avons mis la main au collet de deux hommes, dont l'un tenait une boîte de nuit près de la route nationale M. I. qui lui offrait une sortie de secours très commode. Il y avait aussi une femme, mais ils l'ont laissée tomber, il y a longtemps, car elle devenait dangereuse pour leur sécurité. Elle était surnommée Killer Kate, une criminelle assez spéciale, très belle, mais un peu folle. Le gang ne voulait pas de violence, tout ce qui l'intéressait, était de s'approprier des sommes considérables, en usant des méthodes où les risques étaient soigneusement évités.

– Se sont-ils servis de la Maison du Canal ?

– Il y a longtemps. Ils avaient appelé la maison « Ladymead ».

– Pour brouiller la piste, j'imagine. Je me demande si le nom fait partie d'un code secret ?

– Qu'entendez-vous par là ?

– Je ne sais pas exactement... Je songeais au tableau avec son bateau, appelé *Waterlily*.

– Comment Mrs Boscowan peut-elle être certaine que ce n'est pas son mari qui l'a peint plus tard ?

– Étant elle aussi artiste, elle doit connaître le style de son compagnon. C'est une femme effrayante, presque...

– Comment cela ?

– J'ai l'impression qu'elle sait beaucoup de choses non pas en tant que témoin, mais parce qu'elle semble douée d'un don de clairvoyance.

– Elle a probablement beaucoup de flair, comme vous, Tuppence.

– Dites ce que vous voudrez, mais vous ne m'ôterez pas de l'idée que l'affaire tourne autour de Sutton Chancellor et de la Maison du Canal, avec pour personnages principaux tous ceux qui y ont vécu par le passé et ceux qui y vivent encore.

– Vous pensez aux histoires que vous a racontées Mrs Copleigh ?

– Mrs Copleigh n'a réussi qu'à m'embrouiller avec sa façon de sauter d'un sujet à un autre, en omettant les dates.

– Les gens de la campagne s'expriment souvent ainsi.

– Je ne l'ignore pas, figurez-vous ! Vous oubliez

que moi-même, j'ai été élevée dans un presbytère de banlieue. Tommy, au cours d'une conversation, on ne dit pas « Tel événement s'est produit en 1930 ou en 1925 » mais toujours « Cela est arrivé l'année qui a suivi l'incendie où le vieux moulin fut détruit » ou bien « Ça s'est passé juste après que le fermier James ait été foudroyé près du grand chêne ». Dès lors, l'auditeur a du mal à y comprendre quelque chose. Il est vrai que personnellement, je vieillis, conclut-elle pensivement.

– Mrs Tommy ! Vous restez éternellement jeune, voyons !

– Ne protestez pas, Ivor, je le réalise parfaitement. D'ailleurs, je commence à raisonner comme les gens de la campagne.

Elle se leva et fit le tour de la pièce.

– Ces hôtels ne sont plus ce qu'ils étaient, remarqua-t-elle.

Elle disparut dans la chambre et revint presque aussitôt, l'air ennuyé.

– Il n'y a pas de Bible.

Les deux hommes la regardèrent, ahuris.

– Pas de Bible ?

– Eh bien ! autrefois, on trouvait toujours une Bible dans les hôtels. Pendant que vous irez tous deux rendre visite aux agences immobilières, j'irai à Sutton Chancellor en voiture.

Tommy se dressa d'un bond.

– Pourquoi ? Je vous l'interdis formellement !

– Ne dites pas de bêtises. Je n'ai pas l'intention d'y jouer encore au détective. Je ne veux qu'entrer dans l'église pour jeter un coup d'œil sur la Bible.

– Mais... que voulez-vous faire d'une Bible ?

– J'aimerais rafraîchir ma mémoire à propos de

ces mots gravés sur la tombe de l'enfant. Ils m'intéressent.

– Qu'est-ce qui m'assure qu'une fois hors de ma surveillance, vous n'irez pas encore courir quelque risque ?

– Je vous donne ma parole que je ne m'aventurerai pas dans le cimetière. L'église et le bureau du curé, par une belle matinée... rien de plus paisible.

Tommy céda à contrecœur.

2

Ayant abandonné sa voiture près du portillon, Tuppence scruta des yeux les alentours avant de s'approcher du porche de l'église et d'y entrer sur la pointe des pieds.

Une femme de ménage, occupée à nettoyer les cuivres, interrompit sa tâche pour épier la visiteuse et lorsque cette dernière s'arrêta près du lutrin pour tourner les pages du gros volume qu'il supportait, la servante se redressa, menaçante.

– Je n'ai pas l'intention de l'emporter, chuchota Tuppence, refermant le livre et battant précipitamment en retraite.

Elle aurait aimé jeter un coup d'œil sur la pierre tombale qu'elle avait découverte, mais elle ne pouvait revenir sur la promesse faite à Tommy.

– *Quiconque offensera...* murmura-t-elle. Si c'est ce que signifiait le message, la personne qui l'a écrit doit être...

Regagnant sa voiture, elle parcourut la courte distance qui séparait l'église du presbytère, mit pied à terre, remonta l'allée étroite pour, finalement, sonner à la porte. N'entendant aucun écho à l'intérieur et sachant que les sonnettes de presbytère ne fonctionnaient que rarement, elle poussa le battant et s'immobilisa dans le hall. Son regard fut attiré par une large enveloppe posée sur un guéridon, ornée d'un timbre étranger et portant le nom d'une mission africaine. « Je suis contente de ne pas être missionnaire » soupira-t-elle. Le souvenir d'un autre guéridon, dans un autre hall, se dessina vaguement dans son esprit. Des fleurs? Des feuilles? Une lettre ou un paquet?...

A ce moment l'ecclésiastique apparut.

– Oh!... Vous désirez me voir? Je... mais c'est Mrs Beresford, si je ne me trompe!

– Je venais vous demander si vous aviez une Bible.

La remarque parut le prendre au dépourvu. Il ne put que répéter :

– Une Bible? une Bible... Certainement, certainement. Je dois d'ailleurs en posséder plusieurs. Je pense pouvoir vous trouver ce que vous désirez. Sinon, nous aurons recours à Miss Bligh. Elle est quelque part dans la maison en train de choisir des vases pour les fleurs des enfants.

Tournant le dos à sa visiteuse, le prêtre disparut dans son bureau. Restée seule, Tuppence demeura immobile, les sourcils froncés. Elle leva brusquement la tête comme la porte du fond s'ouvrait sur Miss Bligh, chargée d'un lourd vase de bronze.

C'est alors qu'un déclic joua dans l'esprit de la visiteuse qui laissa échapper :

– Mais bien sûr, voyons. *Bien sûr!*

– Puis-je vous... oh! Mrs Beresford...

– *Vous êtes Mrs Johnson?*

Le lourd vase tomba à terre. Tuppence le ramassa et, le soupesant, observa :

– C'est là une arme dangereuse. Très pratique pour assommer quelqu'un. C'est vous qui m'avez assommée, n'est-ce pas, *Mrs Johnson?*

– Je... je... que dites-vous? Je...

– Lorsque je suis allée prendre le thé chez vous, il y avait une lettre sur le guéridon dans votre hall, adressée à une certaine Mrs Yorke dans le Cumberland. C'est là que vous l'avez emmenée, Mrs Johnson, après l'avoir retirée du « Coteau Ensoleillé » et c'est là qu'elle se trouve. Mrs Yorke ou Mrs Lancaster... le même nom que les roses bariolées du jardin des Perry (1).

Faisant volte-face, Tuppence ouvrit la porte d'entrée qu'elle tira sur elle et courut vers sa voiture. Elle mit le moteur en marche et s'éloigna, surveillant dans le rétroviseur si elle était suivie. Mais, au presbytère, la vieille fille se tenait encore agrippée à la rampe du hall, la bouche ouverte et agitée d'un tremblement nerveux. Toute sa belle assurance s'était effondrée, lorsque son accusatrice avait mentionné le nom de Johnson pour la seconde fois.

Sur le point d'aborder le tournant qui lui ouvrait la route de Market Basing, Tuppence eut une idée, et faisant demi-tour, elle repassa devant l'église, le presbytère, et poussa au-delà du village, vers le canal. Coupant le contact devant la grille de la Maison du Canal, elle mit pied à terre et s'avança dans l'allée menant au logement des Perry. La porte et les volets étaient fermés, le jardin silencieux.

(1) Allusion aux couleurs blanche et rouge des maisons du Lancaster et du York.

Déçue, la femme de Tommy frappa contre le battant clos, attendit un moment puis recommença, avec plus de force. Rien ne bougeait à l'intérieur. Elle tourna la poignée, pour constater que la porte était fermée à clef.

Elle resta là, indécise. Peut-être les Perry s'étaient-ils rendus à Market Basing, pour leur marché? Leur isolement interdisait l'espoir d'apprendre par un voisin où ils pouvaient être. Tuppence aurait pourtant bien voulu voir Alice Perry, pour lui poser quelques questions.

XVII

# MRS LANCASTER

Les sourcils froncés, Tuppence réfléchissait encore à la décision à prendre lorsque la porte devant laquelle elle se tenait toujours, s'ouvrit doucement. Sursautant, elle se tourna à demi et poussa une exclamation étouffée. La personne qui se tenait sur le seuil, était bien la dernière qu'elle s'attendait à voir. Vêtue de la même manière qu'au « Côteau Ensoleillé » et souriant avec la même expression aimable, Mrs Lancaster, de sa voix douce, demanda :

– Vous désirez sans doute voir Mrs Perry? C'est jour de marché. Il est heureux que j'aie pu vous ouvrir. J'ai eu du mal à trouver la clé. D'ailleurs, ce doit être un double, ne pensez-vous pas? Mais entrez donc. Peut-être aimeriez-vous prendre une tasse de thé?

Comme dans un rêve, Tuppence la suivit le long de l'étroit corridor et dans la salle commune où son hôtesse l'invita gracieusement à s'asseoir.

– Je vais mettre la bouilloire sur le feu. Je ne sais pas bien où se trouvent tous les ustensiles. Je ne suis ici que depuis un jour ou deux. Mais... Laissez-moi réfléchir... Ne vous ai-je pas déjà vue quelque part?

– Parfaitement. Lorsque vous vous trouviez au « Coteau Ensoleillé »?

– Le « Coteau Ensoleillé »...? Ce nom me dit quelque chose. Oh ! mais oui, je me souviens de la chère Miss Packard. Un endroit charmant, je dois dire.

– Vous en êtes partie assez brusquement, il me semble?

– Les gens sont tellement autoritaires. Toujours pressés. Ils ne vous donnent pas le temps de tout mettre en ordre ou de préparer les valises avec soin... Ils sont bien intentionnés, remarquez. Naturellement, j'aime beaucoup Nellie Bligh, mais elle a tendance à se montrer d'un tempérament autoritaire. Il m'arrive de penser qu'elle est un peu dérangée mentalement. Cela se produit d'ailleurs assez fréquemment chez les vieilles filles. Elles se dévouent pour de bonnes causes et manifestent parfois d'étranges fantaisies. Les vicaires ont bien des problèmes avec elle. Souvent, elles se mettent en tête que leur curé leur fait une cour discrète et cherchent à les épouser, ce qui est complètement faux, naturellement. Oui... pauvre Nellie. Tellement pleine de bon sens, sur certains points. Elle rend de grands services dans cette paroisse. Et je crois savoir qu'elle a toujours été une secrétaire de premier ordre. Et cependant, il lui prend de curieuses idées, par moments. Comme par exemple de me retirer du bon « Coteau ensoleillé » sans crier gare et de m'emmener dans le Cumberland – une maison triste, si vous saviez – et tout aussi soudainement, de me faire venir ici...

– Vous habitez dans cette maison ?
– Si l'on peut dire. Un arrangement tout à fait particulier. Je n'y suis que depuis deux jours.
– Et avant cela, vous étiez à « Rosetrellis Court » dans le Cumberland ?...
– C'est exact. Le nom n'est pas aussi joli que celui du « Coteau Ensoleillé » ne trouvez-vous pas ? En fait, je ne m'y suis pas vraiment installée. L'établissement n'était pas aussi bien tenu que l'autre. Le service laissait beaucoup à désirer et le café n'était pas bon. Toutefois, je commençais à m'y habituer et j'avais même découvert une ou deux anciennes relations. L'une d'elles avait rencontré une de mes tantes durant un séjour aux Indes. Il est tellement agréable de trouver des personnes de connaissance.
– Je n'en doute pas.
– A présent, passons à vous. Vous étiez venue au « Coteau Ensoleillé » non pour y rester, mais pour rendre visite à une pensionnaire, si je ne me trompe ?
– La tante de mon mari, Miss Fanshawe.
– Je vois. Et n'était-il pas question d'un enfant à vous, derrière la cheminée ?
– Non. Ce n'était pas mon enfant.
– Mais c'est pourtant pour cela que vous êtes venue ici ? Ils ont eu des ennuis avec une cheminée. Je crois savoir qu'un oiseau est tombé dans le foyer. Cette maison a besoin de subir de nombreuses réparations. Je n'aime *pas du tout* être ici. Non, pas du tout, et je le dirai à Nellie la prochaine fois que je la verrai.
– Vous logez avec les Perry ?
– Dans un sens. Je peux vous faire confiance pour garder un petit secret ?

– Certainement.

– Eh bien ! je ne suis pas vraiment ici. Je veux dire pas dans cette partie de la maison qui est aux Perry. A l'étage il y a un autre logement. Venez, je vais vous montrer.

Tuppence se leva avec le sentiment de vivre un rêve fantastique.

– Attendez, ma chère. Je vais fermer à clé, ça sera plus sûr. Mrs Lancaster revint presque aussitôt et monta devant sa visiteuse un escalier étroit qui s'ouvrait sur une chambre – probablement celle des Perry – au fond de laquelle elle poussa une porte donnant sur une pièce meublée seulement d'une table de toilette et d'une énorme armoire en érable. S'approchant de l'armoire, la vieille dame promena une main derrière le panneau et poussa avec une extrême facilité le gros meuble monté sur roulettes. Tuppence n'en croyait pas ses yeux; dans l'emplacement découvert, venait d'apparaître une cheminée surmontée d'un grand miroir et dont la tablette était couverte d'oiseaux en faïence.

Quel ne fut pas l'étonnement de la spectatrice lorsque son hôtesse saisit l'oiseau central et le tira sur son socle. Ce dernier, au lieu de *se détacher,* déclencha un ressort et la cheminée, tourna sur des gonds invisibles pour dévoiler un panneau boisé.

– Du bon travail, vous ne trouvez pas? fit Mrs Lancaster. Ce mécanisme a été installé il y a bien longtemps, lorsque la maison fut divisée en deux. On appelait cette pièce la cachette du prêtre, mais elle n'a pas vraiment été construite à cet usage. C'est derrière cette paroi que je vis à présent. Elle donna une nouvelle poussée brusque à la cheminée, le panneau boisé s'écarta à son tour et elles pénétrèrent dans une pièce spacieuse, meublée avec goût et éclairée par deux fenêtres donnant sur le canal et la colline opposée.

– J'aime beaucoup cet endroit et la vue est très jolie. C'est vraiment le coin que je préfère. J'y ai vécu autrefois, d'ailleurs, lorsque j'étais jeune.

– Vraiment ?

– La maison ne porte pas bonheur. Tous ceux qui y ont vécu, l'ont toujours affirmé. Je crois que je vais refermer ce passage. On ne prend jamais trop de précautions, n'est-ce pas ?

Elle poussa simplement le panneau boisé qui revint à son emplacement normal avec un déclic sec.

Tuppence remarqua :

– J'imagine que c'est là une transformation qui dut être effectuée lorsque la maison servait de lieu de rendez-vous ?

– Et ce n'est pas la seule, croyez-moi. Mais, asseyez-vous. Préférez-vous une chaise haute ou un fauteuil ? Personnellement, je choisis toujours un siège à dossier droit, à cause de mes rhumatismes, vous comprenez. Vous avez dû croire que le corps d'un enfant avait été caché ici. Au fond, c'est une idée absurde, ne pensez-vous pas ?

– Dans un sens, oui.

– On est tellement vulnérable, lorsqu'on est jeune. On veut se prendre au sérieux, tout en continuant à jouer au gendarme et au voleur. Les gangs, vols à main armée, deviennent une sorte d'idéal. Étant jeune, je me figurais qu'être la petite amie d'un bandit devait procurer des sensations merveilleuses, mais... – tapant sur le genou de Tuppence, elle confia – tout ça ce sont des bêtises. On ne retire pas de satisfaction particulière à voler et ne jamais se faire pincer. Naturellement il faut s'appuyer sur une bonne organisation.

– Vous voulez dire que quelqu'un comme Mrs Johnson ou Miss Bligh... quel que soit son nom...

– Pour moi, elle a toujours été Nellie Bligh. Mais, pour une raison que j'ignore, elle se fait appeler de temps à autre Mrs Johnson. Pourtant, elle ne s'est jamais mariée. C'est une vieille fille endurcie.

A ce moment, des coups assourdis résonnèrent au rez-de-chaussée.

– Mon Dieu ! ce sont sûrement les Perry. Je ne pensais pas qu'ils reviendraient si vite.

Nouveaux coups.

– Nous devrions peut-être leur ouvrir, suggéra Tuppence.

– Non, ma chère. Je ne puis supporter les gens qui interviennent sans cesse dans ce qui ne les regarde pas. Et nous avons une petite conversation si intéressante. Je crois que nous allons rester ici sans bouger... Voilà qu'ils appellent sous les fenêtres, à présent ! Jetez un coup d'œil dans le jardin, pour voir qui est là.

Tuppence s'approcha d'une croisée.

– C'est Mr Perry.

D'en bas, l'homme appela :

– Julia ! Julia !

– Quelle audace ! s'écria la vieille dame. Je n'ai jamais autorisé un garçon du genre d'Amos Perry à m'appeler par mon prénom. Ne vous en faites pas, ma chère, nous sommes en sûreté, ici, et nous pouvons continuer notre gentille conversation. Je vais tout vous raconter à mon sujet... J'ai eu une existence plutôt intéressante... Très mouvementée en tout cas...

Parfois, je me dis que je devrais prendre des notes, écrire une sorte de journal. Dans ma jeunesse j'étais très sauvage et j'ai eu des accointances avec... ma foi, un gang de criminels parfaitement banal. Il n'y a pas d'autre mot. Certains membres de cette bande n'étaient vraiment pas fréquentables, d'autres, au contraire, charmants. Des gens assez bien, même.

– Miss Bligh ?

– Non, non. Miss Bligh n'a jamais été mêlée à aucun crime. Pas Nellie Bligh. Elle est très bigote. Une fille pieuse et tout le reste; mais il existe plusieurs sortes de religions. Peut-être êtes-vous au courant ?

– Vous voulez dire différentes sectes ?

– Pour les gens ordinaires, oui. Mais il y a, en dehors de ceux-ci, des personnes exceptionnelles qui doivent obéir à des commandements spéciaux. Des légions particulières. Me suivez-vous bien, ma chère ?

– Je n'en suis pas très sûre... Ne pensez-vous pas que nous devrions laisser les Perry rentrer chez eux ? Ils commencent à s'énerver, si j'en crois les coups...

– Non. Nous ne leur ouvrirons pas... pas avant que je vous aie tout raconté, en tout cas. Il n'y a pas besoin d'avoir peur, ma chère. C'est tout à fait... tout à fait naturel... tout à fait anodin. Cela ne cause aucune douleur. Absolument, comme si vous vous endormiez, rien de plus.

Tuppence la regarda sans comprendre et brusquement se dressa d'un bond pour aller à la porte de la cloison.

– Vous ne pouvez sortir par là, articula Mrs Lancaster. Vous ignorez où se trouve le ressort. Moi seule le sais. Tous les secrets de cette maison me sont familiers puisque j'ai habité sous ce toit dans ma jeunesse. J'y ai vécu avec des criminels jusqu'au jour où je les ai laissé tomber pour obtenir mon salut. Un salut spécial. Il m'avait été donné... d'expier mon péché... L'enfant, j'avais eu le courage de le tuer. J'étais danseuse et je ne voulais pas d'enfant... Là, sur le mur... c'est mon portrait. J'y suis vêtue de mon costume de scène...

Tuppence suivit des yeux le doigt qui pointait vers le fond de la pièce où, accroché au mur, figurait le portrait d'une jeune fille dans une robe de satin blanc, portant la légende « Waterlily ».

– « Waterlily » était, de l'avis unanime, mon meilleur rôle.

Tuppence revint prendre place en face de la vieille dame et, une phrase, entendue jadis au « Coteau Ensoleillé » lui revint à l'esprit : *« Était-ce votre pauvre enfant ? »* En l'entendant, elle avait eu peur et maintenant, la même peur l'envahissait, sans qu'elle pût s'en expliquer la raison. Ce visage bienveillant, ce bon sourire...

La narratrice enchaînait :

– Je devais obéir au commandement qui m'était fait... Il doit exister des agents destructeurs. J'ai été désignée pour devenir l'un d'eux. J'ai donc accepté. Ils partent lavés de leurs péchés, vous comprenez ? Je veux dire que les enfants s'en allaient lavés de toute faute. Ils étaient trop jeunes pour avoir pu commettre des fautes et je les ai envoyés vers Dieu, avant qu'ils n'aient pu se souiller. Vous devez admettre que c'est un grand honneur que d'être choisie pour une telle mission. J'adorais les enfants, mais je n'en ai jamais eu. Probablement une punition pour ce que j'avais fait. Vous savez peut-être ce que j'avais fait ?

– Non.

– Tiens, cela m'étonne. Vous semblez connaître tant de choses. A l'époque, je n'avais que dix-sept ans. Je suis allée trouver un médecin qui m'a assuré que l'on pouvait enlever l'enfant et que personne ne s'en douterait. Mais ça ne s'est pas arrangé. J'ai commencé à avoir des rêves. Je voyais l'enfant devant moi, me demandant sans cesse pourquoi il n'avait pas vécu. Il voulait des compagnons. C'était une fille. Oui, je suis sûre que c'était une fille. Elle venait toujours réclamer la compagnie d'autres enfants. Je m'étais mariée et bien que mon mari et moi, désirions connaître l'expérience d'être parents, nous n'avons jamais eu ce bonheur. Parce que j'étais maudite, vous comprenez? Cependant, il y avait un moyen, un moyen d'expier, pour la faute que j'avais commise. Je m'étais rendue criminelle, la seule manière d'expier mon crime était d'en commettre d'autres, parce que les autres ne seraient pas vraiment des crimes, mais bien des *sacrifices*. Ils devaient être des offrandes. Vous saisissez bien la différence? Les autres enfants allaient tenir compagnie au mien. Quel pouvoir merveilleux que d'être capable de libérer ces innocents avant qu'ils ne commettent le péché comme je l'avais perpétré moi-même! Je ne pouvais confier cela à personne, naturellement, nul ne devait être mis au courant. Pourtant, il arriva que l'on découvrît le but de ma mission, ou simplement que l'on la suspectât. Alors, je n'ai pas eu le choix. Ces curieux ont dû, eux aussi, mourir afin que je puisse poursuivre mon expiation. Ainsi, j'ai toujours réussi. Vous avez bien compris ce que je viens de vous expliquer?

– Pas... exactement, non.

– Pourtant, vous *savez*. C'est pour cela que vous êtes venue ici. Vous saviez le jour où je vous ai vue au « Coteau Ensoleillé ». Je l'ai deviné à votre expression. Je vous ai demandé « Était-ce votre pauvre enfant ? ». Je pensais, en effet, que vous étiez la mère d'un de ces enfants que j'avais tués. Je souhaitais que vous reveniez pour que nous prenions ensemble un verre de lait. Le plus souvent c'est du lait ou du cacao, pour éliminer ceux qui savaient.

Elle se leva lentement et se dirigea vers une armoire.

Dans son dos, Tuppence questionna :

– Mrs Moody... fut-elle de ceux-là ?

– Vous êtes donc au courant ? Non, elle n'était pas une mère. Simplement, une habilleuse, au théâtre où je dansais. Elle m'a reconnue et il m'a donc fallu l'éliminer. – Se retournant, elle tendit un verre à sa visiteuse et ordonna, sans se départir de son doux sourire : Buvez. Buvez d'un trait.

Tuppence ne bougea pas, tout d'abord. Mais, se levant d'un bond, elle courut vers l'une des croisées et, attrapant une chaise au passage, en brisa la vitre et se pencha au dehors pour crier :

– Au secours ! Au secours !

Derrière elle, la vieille femme riait. Posant le verre de lait sur la table, près d'elle, elle se renversa contre son dossier pour mieux rire.

– Ce que vous êtes stupide, ma chère ! Qui espérez-vous voir arriver ? Et *comment* s'y prendraient-ils ? Il leur faudrait, avant de parvenir jusqu'ici, forcer les portes, enfoncer un mur et pendant ce temps... Il existe d'autres moyens. Il n'est pas nécessaire d'avoir recours seulement au lait, ni même au cacao. Pour Mrs Moody, j'ai choisi le cacao, parce qu'elle en était très friande.

Se tournant vers elle, Tuppence lança :

– La morphine... comment vous l'êtes-vous procurée ?

– Un homme avec lequel j'ai vécu, il y a plusieurs années, souffrait d'un cancer et le médecin me confia plusieurs drogues qui devaient lui être administrées régulièrement. Plus tard, il m'a réclamé les médicaments restants et j'ai affirmé que je les avais jetés. En vérité, je les avais gardés, pensant qu'ils pourraient m'être utiles, un jour. Et c'est arrivé. Il m'en reste encore. Personnellement, je ne me drogue pas. – Poussant le verre, elle insista : Vous auriez tort de ne pas boire, je vous assure que c'est le moyen le plus plaisant... L'autre... l'ennui est que je ne me souviens jamais de l'endroit où je le garde.

Elle se mit debout et fureta dans la pièce tout en marmonnant :

– Où l'ai-je donc mis? J'oublie tout à présent que je vieillis.

Tuppence remit la tête à la fenêtre et cria à nouveau. La route près du canal était déserte.

– Je croyais... je croyais bien... oh ! mais bien sûr, voyons... dans mon sac à ouvrage.

Tuppence se détourna de la fenêtre alors que la femme s'avançait vers elle, tout en remarquant :

– Ce que vous êtes bête de préférer ce moyen.

Son bras gauche s'éleva comme mû par un ressort et s'abattit sur l'épaule de sa victime. Sa main droite, qu'elle maintenait derrière son dos, apparut armée d'un long stylet à lame tranchante.

Cherchant à se dégager de son étreinte, Tuppence pensa : « C'est très facile. J'ai affaire à une vieille femme et je suis plus forte qu'elle. Elle est faible et ne peut... » Mais, dans le même temps, une autre idée lui traversa l'esprit, la paralysant presque : « Mais, moi-même, je ne suis plus jeune. Je n'ai plus la force que j'imaginais avoir conservée. Et elle, elle est plus forte que moi. Ses mains, ses doigts, sa poigne... C'est sans doute parce qu'elle est folle. Ses forces sont décuplées. »

La lame se rapprochait de son visage. Elle poussa un long cri. Quelque part dans la maison, des coups, des appels se multiplièrent. « Mais, ils n'arriveront jamais jusqu'ici ! Ils n'auront pas le temps... à moins qu'ils ne connaissent le mécanisme... »

Elle se défendait sauvagement et avait réussi jusqu'ici à tenir l'arme meurtrière à une certaine distance. Mais l'autre était plus grande et plus lourde qu'elle, une femme d'une force terrifiante. Le visage souriait toujours d'un air confiant, mais les yeux reflétaient une joie cruelle.

– Killer Kate, souffla Tuppence.

Sans desserrer son étreinte, l'interpellée chuchota :

– Vous connaissez mon surnom ? Mais je me suis sublimisée depuis. Je suis devenue tueur de Dieu ! C'est Sa volonté qui veut que je vous tue. Cela arrange les choses. Vous comprenez ? Du moment que c'est Lui qui me l'ordonne, je ne commets pas un crime.

Tuppence se trouvait acculée contre le bras d'un gros fauteuil où la maintenait son agresseur d'une poigne qui ne faiblissait pas... La lame tranchante s'approcha de son cou.

« Je ne dois pas m'affoler, se répétait Tuppence.

Je ne dois surtout pas m'affoler... *Mais que faire?* » Lutter s'avérait à présent inutile.

La peur la gagna... la même peur qu'elle avait vaguement ressentie au « Coteau Ensoleillé »...

*« Était-ce votre pauvre enfant? »*

Tel avait été le premier avertissement... mais elle ne sut pas l'interpréter...

Ses yeux fixaient la lame du stylet mais ce n'était pas tellement l'acier tranchant qui la figeait d'angoisse mais bien plutôt le visage proche du sien. Le visage rayonnant d'une femme en train d'accomplir la tâche pour laquelle elle se croyait désignée.

« Elle n'a pas l'air folle, c'est ce qu'il y a de plus monstrueux. Dans son esprit, elle se juge parfaitement saine... Oh! Tommy, Tommy... dans quel guêpier me suis-je fourrée, cette fois? »

Un vertige l'enveloppa. Ses muscles se détendirent. Quelque part un bruit de verre brisé, lui parvint, assourdi... Puis plus rien, que le silence et un grand trou noir.

– Cela va mieux... Vous revenez à vous. Buvez ceci, Mrs Beresford.

Un verre pressé contre ses lèvres... elle résista de toutes ses forces. Lait empoisonné... Qui avait parlé de lait empoisonné? Elle ne boirait pas... l'odeur était pourtant très différente...

Elle se détendit, ses lèvres s'entrouvrirent... Elle but une gorgée...

– Cognac, murmura-t-elle.

– Exact! Buvez encore un peu...

Elle obéit puis reposa sa tête sur des coussins et promena son regard sur le décor. Le haut d'une échelle dépassait du rebord d'une croisée devant laquelle le sol était jonché d'éclats de verres.

– J'ai entendu les vitres se briser, ajouta-t-elle.

Elle repoussa le verre et suivit des yeux la main, le bras puis le visage de l'homme qui le tenait.

– Le Greco !

– Je vous demande pardon ?

– Aucune importance. – Regardant autour de la pièce : Où est... Mrs Lancaster ?

– Elle... elle se repose dans la pièce à côté.

– Je comprends.

Cependant, elle ne comprenait pas, mais ses idées s'enchaîneraient mieux dans un moment.

– Sir Philip Starke. Je ne me trompe pas ?

– Mais oui. Pourquoi avez-vous dit « Le Greco » ?

– Il souffre.

– Je ne comprends pas...

– Le tableau... A Tolède, à moins que ce ne soit au Prado. C'est ce que j'ai pensé il y a longtemps. Non... il n'y a pas si longtemps... Hier soir... Une réunion au presbytère...

– Vous faites de gros progrès.

Elle jugeait naturel de se trouver là, dans cette pièce au plancher couvert d'éclats de verre et parlant à l'homme au visage torturé.

– Je me suis trompée au « Coteau Ensoleillé ». Je me suis trompée sur son compte... J'avais peur alors... une peur vague... mais que j'ai mal interprétée... J'avais peur d'*elle* et non *pour* elle... Je craignais que quelque chose de grave lui arrive. Je voulais la protéger... la sauver. Je... – Le contemplant, elle insista : Vous comprenez ? Ou me jugez-vous stupide ?

– Personne au monde ne pourrait mieux comprendre.

– Qui... qui était-elle? Mrs Lancaster, Mrs Yorke... ce ne sont pas de vrais noms, seulement une variété de roses. Qui était-elle?

D'un ton âpre, il récita :

*Qui était-elle? La vraie, la véritable? Qui était-elle avec le signe de Dieu sur son front?*

– Avez-vous jamais lu « Peer Gynt », Mrs Beresford (1)?

Il s'éloigna jusqu'à la fenêtre, resta pensif à contempler le paysage au dehors, puis se tournant, annonça :

– Elle était ma femme, que Dieu me pardonne.

– Votre femme... Mais elle est morte... la plaque commémorative dans l'église...

– Morte à l'étranger... oui, c'est l'histoire que j'ai racontée. Et j'ai fait poser la plaque dans l'église à son nom. Les gens ne questionnent pas un veuf en deuil. De plus, j'ai presque complètement quitté le pays.

– Certains ont insinué qu'elle vous avait abandonné.

– Une version plausible, elle aussi.

– Vous l'avez emmenée loin d'ici... lorsque vous avez deviné au sujet des enfants...

– Vous êtes donc au courant?

– Elle m'a l'a confessé. C'est presque... incroyable.

– La plupart du temps, elle paraissait normale. Personne n'aurait pu deviner... Mais la police commença à effectuer des recherches et à suspecter... Il me fallait agir. Il m'incombait de la sauver, la protéger... Pouvez-vous comprendre?

(1) Drame d'Hisen.

– Oui. Je crois.

– Elle a été tellement jolie. – Sa voix trembla un peu. – Vous la voyez, là... ce portrait... Waterlily... Elle a toujours été sauvage. Sa mère, Helen Warrender, une vieille famille installée ici depuis des générations, s'enfuit de la maison paternelle pour rejoindre un mauvais sujet, véritable gibier de potence. Sa fille monta sur les planches, apprit la danse classique et à son tour, s'acoquina avec un gang de criminels... par pur goût de l'aventure...

Lorsqu'elle m'épousa, elle en avait terminé avec ce genre d'existence. Elle s'était calmée et voulait mener une vie rangée, fonder un foyer, avoir des enfants. Étant riche, je pouvais lui offrir tout ce qu'elle désirait... mais nous n'eûmes pas d'enfants... Cela fut, pour nous deux, un coup terrible. C'est alors qu'elle commença à développer un sentiment de culpabilité... Peut-être fut-elle toujours mentalement instable... je ne sais pas... Qu'importe... Elle était... – Balayant l'air d'un geste dramatique, il enchaîna : Je l'aimais... je l'ai toujours aimée, et ce qu'elle était, ce qu'elle fit, n'altéra jamais mon sentiment pour elle. Je voulais qu'elle reste en sécurité, la garder à l'écart des tentations sans pour cela faire d'elle, une prisonnière. Et durant bien des années, nous avons réussi à la sauver...

– Nous ?

– Nellie et moi. Nellie Bligh, ma fidèle amie. Elle a été merveilleuse, a tout arrangé, s'est mise en rapport avec les maisons de retraite les meilleures. Là, nous étions sûrs que ma femme n'aurait aucune tentation... *pas d'enfants* dans son entourage. Nous choisissions des établissements isolés, dans le Cumberland, le nord du Pays de Galles. Ainsi, nous pensions que personne ne la reconnaîtrait et nous avons été conseillés dans notre tâche par Mr Eccles, un notaire habile... Ses notes de frais étaient très élevées, mais nous lui accordions toute notre confiance.

– Il vous faisait chanter?

– Je n'ai jamais considéré la chose sous cet angle. Pour moi, il était un ami, un conseiller...

– Qui a peint le bateau sur le tableau.. le bateau nommé *Waterlily?*

– Moi. Cela lui fit plaisir, lui rappelant son succès sur la scène. C'était une toile de Boscowan; elle aimait son style. Un jour, elle inscrivit en gros caractères sous le pont, le nom d'un enfant mort... J'ai donc peint un bateau pour le dissimuler, le baptisant *Waterlily.*

La cloison secrète s'entrouvrit soudain et la sorcière bienfaisante s'avança dans la pièce.

Elle contempla Tuppence puis son regard se porta sur sir Philip.

– Vous vous sentez mieux? demanda-t-elle simplement.

– Oui, merci, répondit Tuppence.

Elle devina, avec plaisir, que Mrs Perry se conduirait en personne raisonnable.

– Votre mari est en bas. Il vous attend dans la voiture. Je lui ai dit que je vous ramènerai près de lui... si c'est ainsi que vous voulez que se passent les choses?

– Vous avez parfaitement raison.

Se tournant vers la porte donnant sur la chambre à coucher, Mrs Perry s'enquit :

– Elle est... là?

– Oui, répondit sir Philip.

Elle disparut dans la pièce voisine et revint presque aussitôt.

– Je vois... – Omettant de terminer sa phrase, elle fixa sur Starke un regard inquisiteur.

– Elle a offert un verre de lait à Mrs Beresford qui n'en a pas voulu.

– J'imagine donc qu'elle l'a bu elle-même?

Il hésita avant de hocher la tête affirmativement.

– Le docteur Mortimer est en route.

Puis, s'approchant de Tuppence, elle lui tendit la main pour l'aider à se relever, mais cette dernière refusa son offre.

– Je ne suis pas blessée... j'ai seulement eu un choc. Maintenant, je me sens tout à fait remise.

Elle se mit debout et se tourna vers sir Philip. Ni l'un ni l'autre ne semblait avoir autre chose à ajouter. La sorcière bienfaisante se tenait près de la cloison donnant sur son appartement. Elle attendait.

Finalement, Tuppence déclara plus qu'elle ne questionna :

– Puis-je quelque chose?

– Oui... C'est Nellie Bligh qui vous a assommée dans le cimetière.

– Je m'en suis doutée.

– Elle a perdu la tête. Elle a cru que vous cherchiez à percer notre secret. Elle... Je m'en veux de l'avoir écrasée sous des responsabilités inhumaines. C'est plus qu'aucune femme n'aurait pu supporter...

– Elle vous a sans doute beaucoup aimé. Rassurez-vous, nous ne rechercherons pas de Mrs Johnson, si c'est là ce que vous vouliez me demander.

– Merci... Je vous suis très reconnaissant.

Après une nouvelle pause, Tuppence s'approcha de

la fenêtre aux carreaux brisés et contempla le canal endormi étalé à ses pieds.

– Je ne pense pas que je reverrai jamais cette maison. Je veux la fixer dans ma mémoire afin de me souvenir des moindres détails.

– Vous ne voulez pas plutôt la chasser de votre mémoire ?

– Non. Quelqu'un a dit, un jour, qu'elle avait vécu d'une façon contraire à sa destinée. Je comprends aujourd'hui ce que cela signifiait.

Starke l'interrogea du regard mais ne formula pas sa pensée.

– Qui vous a envoyé ici pour me chercher ? demanda Tuppence.

– Emma Boscowan.

– Je m'en doutais.

Elle rejoignit Mrs Perry et ensemble, elles regagnèrent le rez-de-chaussée.

Une maison destinée à héberger des amoureux, avait déclaré Emma Boscowan. Et c'est ainsi qu'elle la laissait... abritant deux amoureux... l'un mort et l'autre qui vivait et souffrait...

Elle sortit dans le jardin, se dirigea vers le portillon et la route où l'attendait Tommy au volant de leur voiture.

Elle prit congé de la sorcière bienfaisante et monta prendre place à côté de son mari.

– Tuppence..., commença Tommy.

– Je sais.

– Ne recommencez jamais... jamais !

– Je vous le juge.

– Vous dites cela maintenant, mais vous oublierez votre promesse.

– Non. Je suis trop vieille.

Son mari mit le contact et la voiture s'éloigna lentement.

– Pauvre Nellie Bligh, soupira Tuppence.

– Pourquoi ?

– Tellement éprise de Sir Philip Starke. Le secondant ainsi durant des années... une vie gâchée par une dévotion de chien fidèle.

– Ne la plaignez pas. Je suis sûr que cela lui a procuré des joies infinies. Certaines femmes sont ainsi, vous savez.

– Vous êtes une brute !

– Où voulez-vous aller ? A « l'Agneau et au Drapeau » de Market Basing ?

– Je veux rentrer chez nous. CHEZ NOUS, Thomas. Et y rester.

– Bravo ! *Et si Albert nous accueille avec un de ses sacrés poulets calcinés, je le tue !*

DERNIERS VOLUMES
PARUS DANS LA COLLECTION
**LE CLUB DES MASQUES**

| | | |
|---|---|---|
| 176 | ON SONNE À LA PORTE | **REX STOUT** |
| 177 | À L'ARRÊT DE L'AUTOBUS | **LOUISA REVELL** |
| 178 | MENACES | **ALLISON L. BURKS** |
| 179 | HORS DE L'OMBRE | **MICHAEL HALLIDAY** |
| 180 | TERMINUS, MIGNONNE | **RAE FOLEY** |
| 181 | LE QUINTETTE DE BERGAME | **EXBRAYAT** |
| 182 | LA MOUCHE | **EDGAR WALLACE** |
| 183 | SOLO NE SE DÉGONFLE PAS | **JOHN CASSELLS** |
| 184 | POIROT JOUE LE JEU | **AGATHA CHRISTIE** |
| 185 | LA VOIX DU MORT | **REX STOUT** |
| 186 | L'AUTRE HOMME | **FRANCIS DURBRIDGE** |
| 187 | CYCLONES | **RICHARD ET FRANCES LOCKRIDGE** |
| 188 | UN MEURTRE DANS L'AQUARIUM | **STUART PALMER** |
| 189 | LE CLAN ROBINEAU | **KATHLEEN MOORE KNIGHT** |
| 190 | UN JOLI PETIT COIN POUR MOURIR | **EXBRAYAT** |
| 191 | LE FAUSSAIRE | **EDGAR WALLACE** |
| 192 | DRAME EN TROIS ACTES | **AGATHA CHRISTIE** |
| 193 | AVANT MINUIT | **REX STOUT** |
| 194 | FAUX TÉMOIGNAGE | **FRANCIS DIDELOT** |
| 195 | DITES-LE AVEC DES PASTÈQUES | **PIERRE JARDIN** |
| 196 | APPARTEMENT « E » | **LEONARD GRIBBLE** |
| 197 | LES FIANÇAILLES D'IMOGÈNE | **EXBRAYAT** |
| 198 | UN SCOTCH POUR LE COMMISSAIRE | **EMILY THORNE** |
| 199 | L'AFFAIRE WALTON | **EDGAR WALLACE** |
| 200 | LA SAUCE ZINGARA | **REX STOUT** |

**ENVOI DU CATALOGUE COMPLET SUR DEMANDE**

IMPRIMÉ EN FRANCE PAR BRODARD ET TAUPIN
7, bd Romain-Rolland - Montrouge - Usine de La Flèche.
ISBN : 2 - 7024 - 0014 - 0.